PANORAM@TH

mathématique

1er cycle du secondaire

manuel A
VOLUME 2

Richard Cadieux   **Isabelle Gendron**   **Antoine Ledoux**

LES ÉDITIONS
CEC
QUEBECOR MEDIA

8101, boul. Métropolitain Est, Anjou (Québec) Canada H1J 1J9
Téléphone : (514) 351-6010 • Télécopieur : (514) 351-3534

ɔpreuves
ɔaspe

Recherche iconographique
Monique Rosevear

Recherche en histoire
Hélène Kayler

Collaborateurs
André Deschênes
Jocelyn Dagenais

Conception et coordination
Dessine-moi un mouton inc.

Réalisation graphique
Productions Fréchette et Paradis inc.

Illustrations techniques
Dan Allen, Marius Allen et Bertrand Lachance

Illustrations d'ambiance
Yves Boudreau

Dans cet ouvrage, la féminisation des titres de fonctions et des textes s'appuie sur des règles d'écriture proposées par l'Office de la langue française dans le guide *Au féminin*, Les publications du Québec, 1991.

Les Éditions CEC inc. remercient le gouvernement du Québec de l'aide financière accordée à l'édition de cet ouvrage par l'entremise du Programme de crédit d'impôt pour l'édition de livres, administré par la SODEC.

© 2005, Les Éditions CEC inc.
8101, boul. Métropolitain Est
Anjou (Québec) H1J 1J9

Dépôt légal : 1er trimestre 2005
Bibliothèque nationale du Québec
Bibliothèque nationale du Canada

ISBN 2-7617-2138-1

Imprimé au Canada
1   2   3   4   5   09   08   07   06   05

Les auteurs et l'éditeur remercient les personnes suivantes qui ont participé à l'élaboration du projet à titre de consultants ou de consultantes.

Consultation scientifique

Jean-Guy Smith, réviseur scientifique

Frédéric Gourdeau, professeur de mathématiques, Université Laval

Matthieu Dufour, professeur au département de mathématiques, Université du Québec à Montréal

Dominic Voyer, professeur en didactique des mathématiques, Université du Québec à Rimouski, Campus de Lévis

Consultation pédagogique

Mélanie Tremblay, enseignante, école secondaire Les Compagnons de Cartier, c.s. des Découvreurs

Marylène Bastille, enseignante, école secondaire Saint-Pierre et des Sentiers, c.s. des Premières-Seigneuries

Steve Bélanger, enseignant, école secondaire Robert-Ouimet, c.s. de St-Hyacinthe

Chantal Caissié, enseignante, école secondaire des Rives, c.s. des Affluents

Paule Delamarre, enseignante, Petit Séminaire de Québec

Gérald Devost, enseignant, collège Saint-Louis, c.s. Marguerite-Bourgeoys

Martin Gagnon, enseignant, école secondaire Marie-Curie, c.s. de Laval

Isabelle Hachez, enseignante, école secondaire André-Laurendeau, c.s. Marie-Victorin

Anne Labbé, enseignante, école secondaire Louis-Riel, CSDM

Geneviève Morneau, enseignante, école secondaire Mgr Richard, c.s. Marguerite-Bourgeoys

France Orichefski, enseignante, collège Jean-de-la-Mennais

Julie Piette, enseignante, école secondaire Saint-Luc, CSDM

Dominic Samoisette, enseignant, école secondaire Saint-Martin, c.s. de Laval

Patrick St-Cyr, enseignant, Académie Les Estacades, c.s. Chemin-du-Roy

Monique Thibault, superviseure en pédagogie de la faculté de mathématiques, UQAM

Table des matières

Présentation du manuel

Ce manuel comporte quatre panoramas. Chaque panorama présente un *projet*, des *unités* et les rubriques « Société des maths », « À qui ça sert ? » et « Tour d'horizon ». Le manuel se termine par un « Album ».

Projet

Les quatre premières pages de chaque panorama proposent la réalisation d'un projet. Ce projet vise le développement des compétences disciplinaires et transversales, et l'appropriation des notions mathématiques abordées dans chacune des unités du panorama.

Unités

Un panorama est divisé en unités, chacune introduite par une *situation-problème* qui est suivie de quelques *activités*, du « Calepin des savoirs », d'un « Coup d'œil » et d'un « Zoom ». Chaque unité permet de cheminer dans les trois temps d'apprentissage nécessaires au développement des compétences disciplinaires et transversales et à l'appropriation des apprentissages.

1ᴱᴿ TEMPS : PRÉPARATION DES APPRENTISSAGES

Avant d'aborder une unité, des questions favorisant la réactivation de connaissances antérieures et de diverses stratégies sont proposées dans le guide d'enseignement.

2ᴱ TEMPS : RÉALISATION DES APPRENTISSAGES

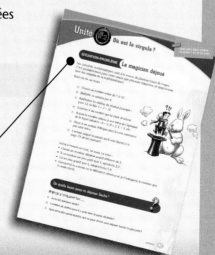

Situation-problème

La situation-problème est un élément déclencheur comportant une seule question qui est accompagnée de pistes d'exploration. Ces pistes servent à mieux cerner la question. La résolution de la situation-problème nécessite le recours à plusieurs compétences et à différentes stratégies, et mobilise des connaissances.

Activité

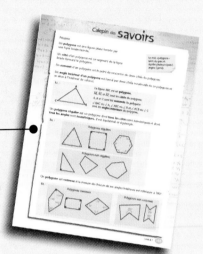

Les activités favorisent la compréhension des notions mathématiques et peuvent prendre plusieurs formes : questionnaire, manipulation de matériel, construction, jeux, intrigue, simulation, textes historiques, etc.

Calepin des savoirs

Cette section présente un résumé des éléments théoriques vus dans l'unité. Des exemples accompagnent les énoncés théoriques afin de favoriser la compréhension des différentes notions.

3ᴱ TEMPS : INTÉGRATION ET RÉINVESTISSEMENT DES APPRENTISSAGES

Coup d'œil

Le « Coup d'œil » présente une série d'exercices et de problèmes contextualisés permettant de développer des compétences et de consolider les apprentissages faits dans l'unité. Cette rubrique se termine par une ou deux situations-problèmes.

Zoom

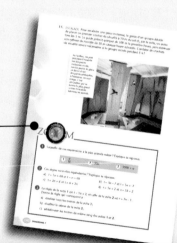

Le « Zoom » permet d'approfondir, en équipe ou en groupe classe, des notions mathématiques et d'en discuter. Grâce à cette rubrique, l'élève peut confronter sa compréhension à celle des autres élèves et, ainsi, intégrer et réinvestir ses apprentissages.

Des rubriques particulières

Société des maths

La « Société des maths » relate l'histoire de la mathématique et la vie de certains mathématiciens et de certaines mathématiciennes ayant contribué au développement de notions mathématiques directement associées au contenu du panorama. Une série de questions permettant d'approfondir le sujet accompagne cette rubrique.

À qui ça sert ?

La rubrique « À qui ça sert ? » présente une profession ou une carrière où sont exploitées les notions mathématiques étudiées dans le panorama. Une série de questions permettant d'approfondir le sujet accompagne cette rubrique.

Tour d'horizon

Le « Tour d'horizon » clôt chaque panorama et présente une série de problèmes contextualisés permettant d'intégrer et de réinvestir les compétences développées et toutes les notions mathématiques étudiées dans le panorama. Cette rubrique se termine par une ou des situations-problèmes.

Dans le « Coup d'œil » et le « Tour d'horizon », lorsqu'un problème comporte des données réelles, un mot clé écrit en majuscules et en bleu indique le sujet auquel il se rapporte.

Album

Situé à la fin du manuel, l'« Album » contient plusieurs informations susceptibles d'outiller l'élève dans ses apprentissages. Il comporte trois sections.

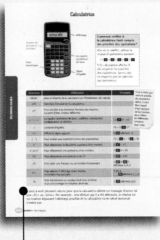

La section « Stratégies » présente différentes stratégies de résolution de situations-problèmes. Chaque stratégie est expliquée et accompagnée d'un exemple concret.

La section « Technologies » donne des explications sur les principales fonctions d'une calculatrice, sur l'utilisation d'un tableur et d'un logiciel de géométrie dynamique, et sur la recherche dans Internet.

La section « Savoirs » présente les notations et symboles utilisés dans le manuel. Des énoncés de géométrie et différentes constructions utiles en géométrie sont également proposés. Cette section se termine par un glossaire et un index.

Les pictogrammes

Indique qu'une feuille de travail est offerte dans le guide d'enseignement.

Indique que l'activité peut se faire en travail coopératif. Des précisions à ce sujet sont données dans le guide d'enseignement.

Indique que l'utilisation de la technologie est possible. Des précisions sont données dans le guide d'enseignement.

Panorama 5

Des fractions aux probabilités

Que tu ouvres les journaux, que tu magasines ou que tu écoutes les prévisions météorologiques, les fractions, les pourcentages et les probabilités sont partout! Mais que signifie une probabilité de chute de neige de 60%? Un rabais de 30%? Une mise à pied du quart du personnel d'une entreprise? Dans ce panorama, tu travailleras avec des nombres présentés sous plusieurs formes. Tu utiliseras des nombres écrits sous la forme de fractions et de pourcentages pour comprendre et décrire le monde qui t'entoure, pour effectuer des calculs et pour déterminer des probabilités.

PROJET

Peut-on déjouer le hasard?

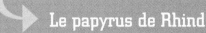

Société des maths

Le papyrus de Rhind

À qui ça sert ?

Généticien ou généticienne

Peut-on déjouer le hasard?

Présentation

Tu utilises probablement le mot «hasard» régulièrement. Mais qu'est-ce que le hasard? Quels sont les jeux qui dépendent, en tout ou en partie, du hasard? As-tu déjà réussi à déjouer le hasard? À gagner à un jeu parce que tu connaissais certaines probabilités qui ont influencé ta façon de jouer?

Mandat général proposé

Tu devras analyser un jeu d'un point de vue probabiliste. Tu devras aussi réaliser une expérience ou une étude afin d'établir les probabilités associées à un phénomène.

■ **Partie 1**: L'exploration.

■ **Partie 2**: Les jeux.

■ **Partie 3**: Les phénomènes.

Le mot *hasard* vient du mot arabe «al-zahr» qui signifie «jeu de dés».

Mise en train

1. Que signifie le mot «hasard» pour toi?

2. Donne un exemple de la vie quotidienne où l'on pourrait utiliser l'expression «le hasard fait bien les choses».

3. Est-ce qu'un ordinateur, une calculatrice ou un lecteur de disque numérique peut reproduire le hasard? Explique ta réponse.

4. Déjà, au 17ᵉ siècle, les mathématiciens et les mathématiciennes, tout comme les joueurs et les joueuses s'interrogeaient sur la possibilité de déjouer le hasard à l'aide de la mathématique. Quel problème le chevalier de Méré proposa-t-il à Blaise Pascal?

5. La publicité incite-t-elle les gens à jouer à des jeux de hasard? Explique ton point de vue.

PROJET
Conserve tes réponses à ces questions. Elles t'aideront à réaliser les autres parties du projet.

Partie 1 : L'exploration

Les livres, les journaux, Internet, l'histoire, la télévision, la nature et les jeux regorgent d'exemples où le hasard intervient.

Mandat proposé

**Relever au moins cinq jeux
où le hasard intervient.**

PISTES D'EXPLORATION...

■ As-tu noté toutes tes idées et tes sources en expliquant pourquoi tu crois que le hasard est présent ?

■ As-tu consulté des sources variées ?

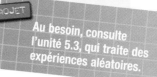

PROJET

Au besoin, consulte l'unité 5.3, qui traite des expériences aléatoires.

Partie 2 : Les jeux

Tu peux tenter, à l'aide de la mathématique, d'étudier la logique d'un jeu et d'examiner la façon dont il se déroule. Tu peux aussi essayer de comprendre comment les probabilités interviennent dans ce jeu.

Mandat proposé

Choisir un jeu où tu crois que le hasard intervient. Déterminer si la connaissance des probabilités peut augmenter tes chances de gagner à ce jeu.

PISTES D'EXPLORATION...

■ Combien y a-t-il de résultats possibles ?

■ Selon toi, quelles sont les probabilités associées à ce jeu ? Ces probabilités sont-elles les mêmes pour tous les événements liés à ce jeu ?

■ Ton expérimentation correspond-elle à tes hypothèses ? Pourquoi ?

■ Quel moyen as-tu retenu pour illustrer les résultats de ton analyse ?

■ Ton jeu a-t-il un comportement aléatoire ?

PROJET

Au besoin, consulte les unités 5.1 à 5.6, qui traitent des fractions et des probabilités.

« Dieu ne joue pas aux dés. »
Albert Einstein

Partie 3 : Les phénomènes

Pour déterminer les probabilités associées à certains phénomènes, il faut parfois réaliser des expériences ou des études. On compile ensuite les résultats obtenus afin de déterminer des probabilités.

Par exemple, on pourrait vouloir évaluer la probabilité que la première personne à monter dans l'autobus municipal 139, à 13:00, ait moins de 21 ans. Il faudrait alors noter chaque jour, pendant plusieurs jours, à l'heure désirée, l'âge des personnes qui montent dans cet autobus. On pourrait ainsi déterminer la probabilité que demain, à cette même heure, la première personne à monter dans l'autobus 139 ait moins de 21 ans.

On pourrait également vouloir évaluer la probabilité qu'au prochain lancer le verre de styromousse illustré ci-contre tombe sur le côté. Pour ce faire, il faudrait lancer le verre à plusieurs reprises et noter les résultats afin d'établir la probabilité de chacun des événements suivants : à l'endroit, à l'envers ou sur le côté.

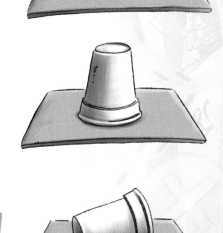

Mandat proposé

Choisir un phénomène et, à l'aide d'une étude ou d'une expérience, déterminer les probabilités associées à ce phénomène.

Tu dois d'abord émettre une hypothèse, puis la vérifier.

Pistes d'exploration...

- As-tu déterminé tous les résultats possibles de ton expérience ou de ton étude ?

- As-tu émis une hypothèse quant à la probabilité de chacun des événements ?

- As-tu répété l'expérience un nombre suffisant de fois pour en tirer des conclusions ?

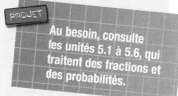
PROJET
Au besoin, consulte les unités 5.1 à 5.6, qui traitent des fractions et des probabilités.

- Le phénomène étudié a-t-il un comportement aléatoire ?

Bilan du projet : Peut-on déjouer le hasard ?

Ta présentation doit :
- montrer tous les jeux de la partie 1 et expliquer pourquoi tu as choisi ces jeux ;
- expliquer comment les probabilités interviennent dans le jeu que tu as analysé ;
- expliquer les probabilités associées au phénomène que tu as étudié ou expérimenté ;
- comporter quelques questions sur les probabilités reliées à ce jeu et à ce phénomène. Tu dois également rédiger le corrigé.

Si tu le désires, utilise un logiciel de présentation, un traitement de texte, un tableur ou un simulateur pour présenter ton jeu et ton phénomène.

PROJET Cette unité t'aidera à réaliser la partie 2 de ton projet.

SITUATION-PROBLÈME Les affiches publicitaires

Une troupe de théâtre désire fabriquer des affiches publicitaires pour annoncer sa nouvelle pièce. Voici les contraintes qu'elle doit respecter :

1) Avec 15 $, acheter le maximum de cartons à 75 ¢ chacun.

2) Créer 24 affiches de même dimension.

3) Utiliser tout le carton pour créer les plus grandes affiches possible.

4) Utiliser un seul bout de ruban adhésif pour fixer deux morceaux de carton ensemble.

MÉDECIN MALGRÉ LUI

de Molière

Pièce présentée par la troupe de théâtre **Les Intrépides**

à l'auditorium le 17 décembre à 19 h

Combien de bouts de ruban adhésif faut-il, au minimum, pour créer toutes les affiches ?

PISTES D'EXPLORATION...

- Y aura-t-il un carton complet dans une affiche ?
- As-tu représenté la situation à l'aide d'un dessin ?
- As-tu pensé à différentes façons de découper et d'agencer les cartons ?

Gâteau au chocolat

1 tasse de sucre

$1\frac{1}{4}$ tasse de farine

$\frac{1}{2}$ tasse de lait

$\frac{3}{4}$ tasse de cassonade

$1\frac{1}{2}$ tasse d'eau bouillante

$\frac{1}{4}$ tasse de cacao

25

Le cacao est utilisé dans la fabrication du chocolat. Une tablette de chocolat peut contenir jusqu'à 3 cuillerées à thé de gras saturé néfaste pour la santé des artères.

Pour mesurer les ingrédients, Sophia n'a qu'un seul contenant, non gradué. Ce contenant a une capacité de $\frac{1}{4}$ de tasse exactement.

a. Combien de fois doit-elle remplir son contenant pour avoir la bonne quantité de chacun des ingrédients?

b. Sophia décide de tripler la recette. Exprime la quantité de cassonade dont elle a besoin :

1) en nombre de contenants;

2) en fractions de tasse;

3) en tasses et fraction de tasse.

c. Sophia pourrait-elle réaliser la recette originale si elle disposait d'un seul contenant non gradué ayant une capacité d'exactement :

1) $\frac{1}{3}$ tasse?

2) $\frac{1}{8}$ tasse?

3) $\frac{1}{2}$ tasse?

Explique tes réponses.

Le cacao vient du fruit du cacaoyer, appelé la cabosse. Les Aztèques le surnommaient «la nourriture des dieux». Ils l'utilisaient pour améliorer la digestion et le mouvement intestinal ainsi que pour la vigueur et le tonus qu'il leur procurait. Il est aujourd'hui cultivé principalement en Côte-d'Ivoire. Il s'agit du troisième marché mondial, le sucre étant le premier et le café, le deuxième.

Le jeu de l'âme sœur

Voici les dessins qu'un groupe d'élèves a reçus pour organiser un jeu dans le cadre de la Saint-Valentin.

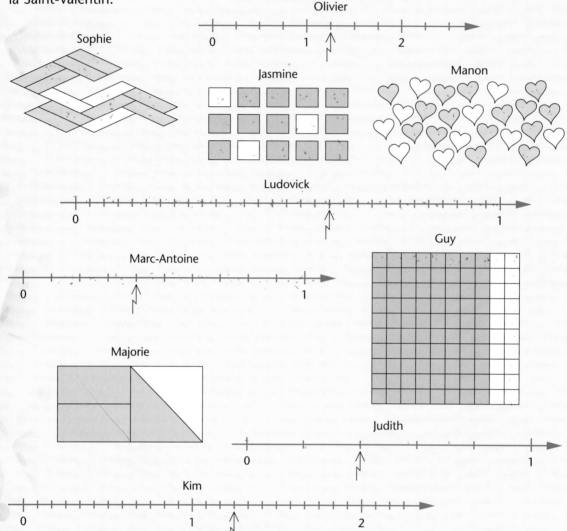

a. Le but du jeu est de trouver son âme sœur, c'est-à-dire la personne qui a une représentation d'une fraction équivalente à celle que l'on a. Réunis chaque élève à son âme sœur.

b. 1) Le nombre d'espaces entre deux entiers sur chacune des droites numériques représente-t-il le numérateur ou le dénominateur d'une fraction?

  2) À quel endroit doit-on placer l'unité sur la droite numérique ci-dessous pour que la fraction représentée soit équivalente à celle de Ludovick?

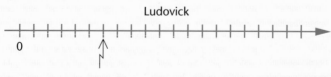

c. Si le dessin de Jasmine comportait trois fois plus de petits carrés, combien de petits carrés devrait-on colorier pour obtenir une fraction équivalente à celle qui est illustrée?

d. Quel pourcentage chacune des fractions illustrées représente-t-elle?

Voici une charade mathématique. Tu dois former une fraction qui correspond à chacun des indices ci-dessous en utilisant les nombres du code. Attention! Aucun nombre ne peut être utilisé plus d'une fois.

a. Reproduis le tableau, forme les fractions et écris les lettres correspondantes.

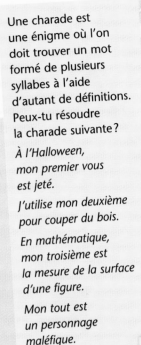

Une charade est une énigme où l'on doit trouver un mot formé de plusieurs syllabes à l'aide d'autant de définitions. Peux-tu résoudre la charade suivante?

À l'Halloween, mon premier vous est jeté.

J'utilise mon deuxième pour couper du bois.

En mathématique, mon troisième est la mesure de la surface d'une figure.

Mon tout est un personnage maléfique.

Code

11	E	2	E	15	E	5	L	13		3	F	18	T
20	T	30	N	23	A	27	I	36	N	55	S	8	

Tableau

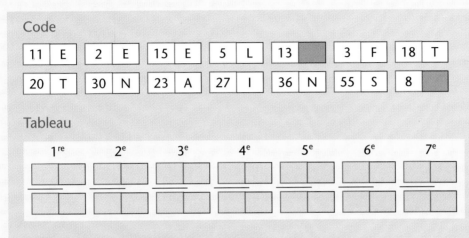

| | 1re | 2^e | 3^e | 4^e | 5^e | 6^e | 7^e |

Indices

1) *Ma première fraction est la fraction irréductible équivalente à $\frac{15}{40}$.*

2) *Ma deuxième fraction est inférieure à 1. Le numérateur est 2 et le dénominateur est un nombre impair inférieur à 10.*

3) *Ma troisième fraction représente le nombre 5.*

4) *Ma quatrième fraction est supérieure à 0 et inférieure à 1. Le PGCD du numérateur et du dénominateur est 4.*

5) *Ma cinquième fraction est supérieure à 1. Elle est équivalente à la fraction irréductible $\frac{3}{2}$.*

6) *Le numérateur de ma sixième fraction est un multiple du dénominateur.*

7) *Ma septième fraction est supérieure à 1. Le numérateur et le dénominateur sont premiers entre eux.*

Mon tout est une maxime en latin qui signifie « Hâte-toi lentement ».

b. Repère, dans la charade, les indices qui décrivent nécessairement une fraction irréductible. Explique pourquoi tu as cette certitude.

c. Réduis toutes les fractions que tu as formées qui ne sont pas irréductibles.

Sens de la fraction

Une fraction s'écrit sous la forme $\frac{a}{b}$, où a et b sont des nombres entiers, et où $b \neq 0$.

Ex. :

Représentation

Lecture : quatre septièmes

$$\frac{4}{7}$$

Le numérateur indique le nombre de parties équivalentes choisies.

Le trait de fraction indique une division.

Le dénominateur indique le nombre de parties équivalentes nécessaires pour constituer l'unité.

Nombre fractionnaire et fraction

Il arrive qu'une fraction soit plus grande que 1. On peut alors l'écrire sous la forme :

- d'une fraction dont le numérateur est supérieur au dénominateur. Ex. : $\frac{23}{4}$

- d'un nombre fractionnaire, c'est-à-dire d'un nombre entier suivi d'une fraction. Ex. : $5\frac{3}{4}$

NOMBRE FRACTIONNAIRE ➡ FRACTION

Pour transformer un nombre fractionnaire en une fraction, on effectue l'addition du nombre entier et de la fraction.

Ex. : $2\frac{6}{11}$

Représentation	Calcul
	$2\frac{6}{11} = 2 + \frac{6}{11}$ $= 2 \times \frac{11}{11} + \frac{6}{11}$ $= \frac{22}{11} + \frac{6}{11}$ $= \frac{22 + 6}{11}$ $= \frac{28}{11}$

La fraction correspondant au nombre fractionnaire $2\frac{6}{11}$ est $\frac{28}{11}$.

FRACTION ➡ NOMBRE FRACTIONNAIRE

Pour transformer une fraction en un nombre fractionnaire, on effectue la **division**.

Ex. : $\frac{38}{5}$

Représentation	Calcul
	$\begin{array}{r|l} 38 & 5 \\ -\ 35 & 7 \\ \hline 3 & \end{array}$

Le nombre fractionnaire correspondant à la fraction $\frac{38}{5}$ est $7\frac{3}{5}$.

Fractions équivalentes

Deux **fractions** sont **équivalentes** si elles **représentent le même nombre,** c'est-à-dire si elles occupent la **même place sur la droite numérique.**

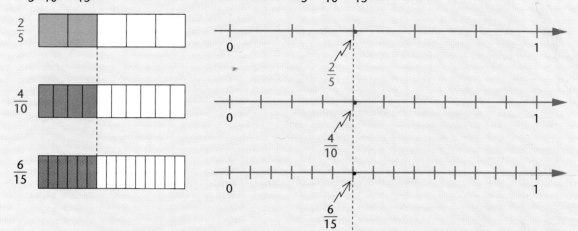

Ex. : $\frac{2}{5}$, $\frac{4}{10}$ et $\frac{6}{15}$ sont des fractions équivalentes, car $\frac{2}{5} = \frac{4}{10} = \frac{6}{15}$.

On obtient des fractions équivalentes en multipliant ou en divisant le numérateur et le dénominateur d'une fraction par un même nombre, différent de 0.

Ex. :

1) $\overset{\times\ 20}{\frac{2}{5} = \frac{40}{100}}$
$\underset{\times\ 20}{}$

2) $\overset{\div\ 2}{\frac{4}{10} = \frac{2}{5}}$
$\underset{\div\ 2}{}$

Pourcentage

Une fraction **dont le dénominateur est 100** peut être exprimée directement sous la forme d'un **pourcentage.** On remplace alors le dénominateur 100 par le symbole «%», qui se lit «**pour cent**».

Ex. : $\frac{40}{100} = 40\ \%$

Fraction irréductible

Une fraction est **irréductible** si le **numérateur et le dénominateur sont premiers entre eux,** c'est-à-dire si leur plus grand commun diviseur est 1.

> Il est préférable de donner une fraction irréductible comme réponse.

Pour obtenir une fraction irréductible :

- on peut utiliser les caractères de divisibilité ;

- on peut diviser le numérateur et le dénominateur par leur PGCD.

Ex. : $\overset{\div\ 2 \quad \div\ 3}{\frac{54}{66} = \frac{27}{33} = \frac{9}{11}}$
$\underset{\div\ 2 \quad \div\ 3}{}$

Ex. : $\overset{\div\ 6}{\frac{54}{66} = \frac{9}{11}}$ PGCD (54, 66) = 6
$\underset{\div\ 6}{}$

1. Indique la fraction irréductible qui est représentée par la partie coloriée dans chaque illustration ci-dessous.

a) 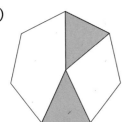 b) 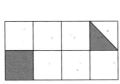 c) 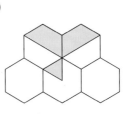 d)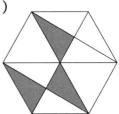

2. Explique pourquoi les illustrations ci-dessous ne représentent pas $\frac{3}{5}$.

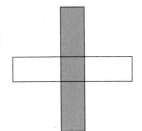   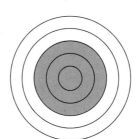

3. Indique si les fractions suivantes représentent un nombre plus près de 0, de $\frac{1}{2}$ ou de 1.

a) $\frac{11}{25}$ b) $\frac{12}{13}$ c) $\frac{212}{450}$ d) $\frac{17}{16}$ e) $\frac{27}{899}$

4. Écris les fractions suivantes sous la forme de fractions irréductibles.

a) $\frac{18}{30}$ b) $\frac{14}{28}$ c) $\frac{200}{700}$ d) $\frac{24}{36}$ e) $\frac{33}{44}$

5. Transforme les fractions en nombres fractionnaires, et vice versa.

a) $\frac{32}{3}$ b) $\frac{-19}{8}$ c) $\frac{900}{200}$ d) $7\frac{2}{9}$ e) $-3\frac{4}{7}$

6. Donne le pourcentage correspondant à chacune des fractions suivantes.

a) $\frac{2}{5}$ b) $\frac{-6}{25}$ c) $\frac{9}{20}$ d) $\frac{240}{200}$ e) $\frac{33}{50}$

7. Estime le pourcentage correspondant à chacune des fractions suivantes.

Ex. : $\frac{3}{11} \approx \frac{3}{12} = \frac{1}{4} = 25\%$ ou $\frac{3}{11} \approx \frac{3}{10} = \frac{30}{100} = 30\%$

a) $\frac{23}{47}$ b) $\frac{114}{115}$ c) $\frac{6}{31}$ d) $\frac{7}{29}$ e) $\frac{41}{19}$

8. Quelle fraction du nombre de lettres de l'alphabet représente le nombre de lettres du mot *voiture*?

9. a) Si 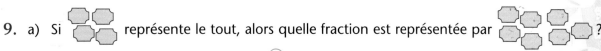 représente le tout, alors quelle fraction est représentée par 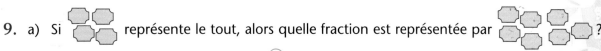 ?

   b) Si ▦ représente le tout, alors ⌢ représente $\frac{3}{10}$.

   c) Si ✿ représente 25 %, alors ⬚ représente le tout.

   d) Si ▭ représente 125 % du rectangle A, alors ⬚ représente 25 % du rectangle A.

10. a) Combien faut-il de onzièmes pour faire un entier?

    b) Combien y a-t-il d'entiers dans trente-deux septièmes?

    c) Combien y a-t-il de huitièmes dans cinq entiers?

    d) À combien d'entiers correspondent 200 %?

    e) Combien de neuvièmes y a-t-il dans trois entiers et sept neuvièmes?

11. Reproduis la figure ci-contre et noircis $\frac{1}{6}$ de la section hachurée. Quelle fraction de la figure complète as-tu noircie?

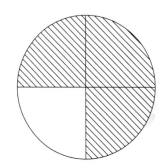

12. Explique pourquoi on peut écrire : $\frac{^-3}{4} = \frac{3}{^-4} = ^-\frac{3}{4}$.

13. Voici une méthode pour simplifier des fractions où l'on utilise la décomposition en facteurs premiers.

$$\frac{54}{180} = \frac{\cancel{2} \times \cancel{3} \times \cancel{3} \times 3}{\cancel{2} \times 2 \times \cancel{3} \times \cancel{3} \times 5} = \frac{3}{2 \times 5} = \frac{3}{10}$$

   a) Que représente le produit $2 \times 3 \times 3$ qu'on a biffé au numérateur et au dénominateur?

   b) Simplifie les fractions suivantes.

   1) $\frac{42}{165}$ 2) $\frac{168}{432}$ 3) $\frac{^-375}{420}$ 4) $\frac{^-104}{780}$

14. Détermine le nombre manquant afin d'obtenir une paire de fractions équivalentes.

   a) $\frac{4}{7} = \frac{\blacksquare}{35}$ b) $\frac{8}{20} = \frac{16}{\blacksquare}$ c) $\frac{\blacksquare}{6} = \frac{^-20}{24}$ d) $\frac{12}{\blacksquare} = \frac{9}{33}$

15. Combien de parties du 2ᵉ rectangle dois-tu prendre pour obtenir une quantité équivalant à trois parties du 1ᵉʳ rectangle ?

1ᵉʳ

2ᵉ

16. Complète le tableau ci-contre.

Un dessin où ▬ représente le tout	Une fraction réduite	Un pourcentage	Une droite numérique
a)	$\frac{3}{4}$	b)	c)
▬	d)	e)	f)
g)	h)	i)	⊢⊢⊢⊢⊢⊢→ 0 ↑ 1
j)	k)	25 %	l)

17. CHÔMAGE Le taux de chômage au Canada en septembre 2003 était de 8 %. Combien de chômeurs et de chômeuses y avait-il par groupe de 10 000 personnes aptes à travailler ?

18. Combien existe-t-il de fractions équivalentes à $\frac{3}{5}$?

19. Audrey a vendu 14 des 20 tablettes de chocolat qu'elle avait à vendre pour son club de ringuette. Quel pourcentage de ses tablettes lui reste-t-il à vendre ?

20. Quelle fraction la flèche indique-t-elle sur chacune des droites numériques suivantes ?

a)

b)

c)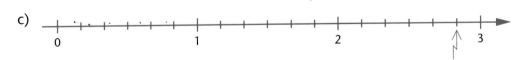

21. Place les expressions suivantes sur une même droite numérique :

40 % $\frac{-5}{3}$ 135 % $\frac{-4}{7}$

22. DÉMOGRAPHIE La population active représente la population en âge de travailler, c'est-à-dire les personnes âgées de 15 à 64 ans.

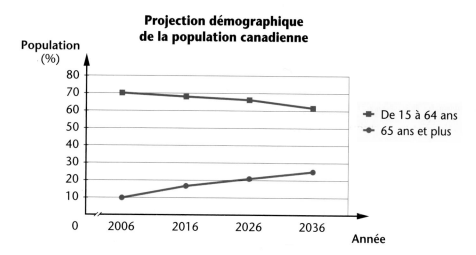

Projection démographique de la population canadienne

De 15 à 64 ans
65 ans et plus

a) En 2006, quel pourcentage de la population a moins de 15 ans?

b) Quelle fraction irréductible de la population aura 65 ans et plus en 2036?

c) Quels problèmes le vieillissement de la population peut-il créer?

23. COURSE D'ESCARGOTS En 2002, dans la ville d'Évran, en Bretagne, s'est tenu le championnat mondial de course d'escargots. Les escargots devaient franchir une distance de 20 cm. Lors d'une course, au moment où le premier escargot franchissait la ligne d'arrivée, le deuxième avait franchi les $\frac{4}{5}$ de la distance et le troisième, les $\frac{3}{4}$ du parcours.

Combien de centimètres séparaient le deuxième escargot du troisième?

Le petit-gris, une espèce d'escargot, a une masse moyenne de 10 g et vit de 3 à 6 ans. L'escargot hiberne d'octobre à mars.

ZOOM

1 Pourquoi ne peut-on pas multiplier ou diviser le numérateur et le dénominateur d'une fraction par 0 pour obtenir une fraction équivalente?

2 Les énoncés suivants sont-ils vrais ou faux? Donne un exemple pour appuyer chaque réponse.

a) Il n'y a aucun nombre compris entre $\frac{3}{5}$ et $\frac{4}{5}$.

b) Si l'on additionne une même quantité au numérateur et au dénominateur d'une fraction, on obtient une fraction équivalente.

3 Peux-tu écrire la fraction qui serait la plus près de 1, sans être égale à 1? Explique ta réponse.

PROJET

Cette unité t'aidera à réaliser les parties 2 et 3 de ton projet.

SITUATION-PROBLÈME Les cotes d'écoute

Trois fois par année, une firme de sondage envoie dans 16 000 foyers francophones un cahier d'écoute dans lequel les téléspectateurs et les téléspectatrices notent les émissions qu'ils et elles regardent. Les données recueillies sont compilées pour produire ce qu'on appelle les cotes d'écoute.

Cette année, dans une région, les résultats suivants ont été obtenus.

Émission du matin

Chaîne	Cote d'écoute
A	24 %
B	12 %
C	14 %
D	27 %

Bulletin d'informations du midi

Chaîne	Cote d'écoute
A	$\frac{1}{3}$
B	$\frac{1}{2}$
C	$\frac{1}{40}$
D	$\frac{3}{100}$

En 2004, une chaîne de télévision pouvait demander entre 6 $ et 12 $ par tranche de 1000 téléspectateurs et téléspectatrices pour un message publicitaire de 30 s.

Émission de fin de soirée

Chaîne	Cote d'écoute
A	$\frac{2}{7}$
B	$\frac{2}{11}$
C	$\frac{2}{13}$
D	$\frac{2}{9}$

Variations par rapport au dernier sondage

Chaîne	Variation de la cote d'écoute
A	$\frac{-2}{5}$
B	$\frac{1}{4}$
C	$\frac{4}{7}$
D	$\frac{-5}{8}$

Quelle chaîne est numéro un ?

PISTES D'EXPLORATION...

- As-tu comparé directement les fractions qui ont le même numérateur ?

- As-tu classé les fractions par groupes : les fractions inférieures à 0, celles comprises entre 0 et $\frac{1}{2}$, et celles comprises entre $\frac{1}{2}$ et 1 ?

La fabrication de verres en plastique

Une usine fabrique des verres en plastique qui sont disposés dans des emballages contenant 8, 12 ou 20 verres. Dans cette usine, les machinistes travaillent 8 h par jour.

a. Détermine le nombre minimal de verres qu'une machiniste doit fabriquer chaque jour si :

- tous les verres qu'elle produit doivent être emballés ;
- elle ne sait pas si les emballages seront de 8, de 12 ou 20 verres.

Par souci environnemental, on peut utiliser des verres en plastique plutôt que des verres en styromousse, qui ne sont pas dégradables

b. Utilise les résultats précédents pour déterminer des fractions équivalentes aux fractions suivantes et ayant toutes un même dénominateur : $\frac{5}{8}$, $\frac{7}{12}$ et $\frac{11}{20}$.

c. Combien de dénominateurs communs peux-tu trouver aux fractions $\frac{5}{8}$, $\frac{7}{12}$ et $\frac{11}{20}$?

Un ou une machiniste est une personne qui fabrique des pièces à l'aide de différentes machines-outils. Cette personne étudie et analyse les plans et devis, et règle les machines-outils qui lui permettront de fabriquer des pièces.

Calepin des **savoirs**

Ordre et dénominateur commun

Il existe plusieurs stratégies pour **ordonner** ou **comparer** des fractions. Par exemple :

- On peut les comparer directement lorsqu'elles ont un **même dénominateur** ou un **même numérateur**.

  Ex. : 1) $\dfrac{2}{5} < \dfrac{3}{5}$ 2) $\dfrac{2}{7} > \dfrac{2}{39}$

- On peut les **regrouper par rapport à** :

  - **0** en considérant le signe ;

  - $\dfrac{1}{2}$ en regardant si le numérateur est plus grand ou plus petit que la moitié du dénominateur ;

  - **1** en regardant si le numérateur est supérieur ou inférieur au dénominateur.

  Ex. : Disposition dans l'ordre croissant de $\dfrac{5}{6}, \dfrac{2}{7}, \dfrac{9}{8}, -\dfrac{2}{11}$.

  Cette fraction est supérieure à 0 mais inférieure à $\dfrac{1}{2}$.

  Cette fraction est la seule qui soit supérieure à 1. Il s'agit donc de la plus grande fraction.

  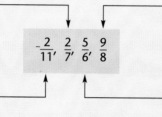

  $-\dfrac{2}{11}, \dfrac{2}{7}, \dfrac{5}{6}, \dfrac{9}{8}$

  Cette fraction est la seule qui soit inférieure à 0. Il s'agit donc de la plus petite fraction.

  Cette fraction est supérieure à $\dfrac{1}{2}$ mais inférieure à 1.

- On peut trouver des fractions **équivalentes** ayant le **même dénominateur**.

  Ex. : Comparaison de $\dfrac{7}{12}$ et $\dfrac{11}{20}$.

  Puisque PPCM (12, 20) = 60,

  on a $\dfrac{7}{12} = \dfrac{35}{60}$ et $\dfrac{11}{20} = \dfrac{33}{60}$.

  Puisque $\dfrac{35}{60} > \dfrac{33}{60}$, alors $\dfrac{7}{12} > \dfrac{11}{20}$.

  > On simplifiera les calculs si l'on choisit, comme dénominateur commun, le plus petit commun multiple (PPCM) des dénominateurs de toutes les fractions données.

- On peut les placer sur une droite numérique.

  Ex. : Comparaison de $\dfrac{5}{6}$ et $\dfrac{7}{8}$.

  Donc $\dfrac{5}{6} < \dfrac{7}{8}$.

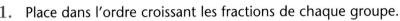

Coup d'œil

1. Place dans l'ordre croissant les fractions de chaque groupe.

   a) $\dfrac{13}{10}, \dfrac{9}{10}, \dfrac{11}{10}, \dfrac{7}{10}$

   b) $\dfrac{3}{2}, \dfrac{3}{10}, \dfrac{3}{7}, \dfrac{3}{100}$

   c) $\dfrac{1}{2}, \dfrac{2}{7}, \dfrac{7}{8}, \dfrac{5}{4}$

2. Détermine le plus petit dénominateur commun pour chaque groupe de fractions.

   a) $\dfrac{5}{24}, \dfrac{7}{36}$

   b) $\dfrac{2}{5}, \dfrac{1}{6}, \dfrac{7}{30}$

   c) $\dfrac{1}{4}, \dfrac{3}{8}, \dfrac{5}{10}$

3. Parmi les fractions suivantes, $\dfrac{5}{4}, \dfrac{4}{9}, \dfrac{11}{20}, \dfrac{1}{20}$, indique :

   a) la plus grande;

   b) la plus petite;

   c) celle qui est supérieure à $\frac{1}{2}$ et inférieure à 1.

4. Sans effectuer de calcul, explique comment procéder pour placer dans l'ordre croissant les fractions suivantes : $\dfrac{4}{9}, \dfrac{7}{8}, \dfrac{7}{9}, \dfrac{9}{7}, \dfrac{2}{15}$.

5. a) Place dans l'ordre décroissant les expressions suivantes.

   1) 15 %, 89 %, 156 %, 8 %, 29 %

   2) $\dfrac{1}{2}, \dfrac{2}{3}, \dfrac{5}{9}, \dfrac{6}{11}, \dfrac{8}{5}$

   b) Lequel de ces deux exercices t'a semblé le plus facile? Pourquoi?

6. Donne trois fractions comprises entre $\frac{1}{8}$ et $\frac{1}{6}$.

7. Donne une fraction irréductible comprise entre 6 % et 7 %.

8. Sachant que a et b représentent des nombres naturels non nuls et que $a < b$, indique la plus grande fraction de chaque groupe.

   a) $\dfrac{2}{a}$ et $\dfrac{2}{b}$

   b) $\dfrac{a}{7}$ et $\dfrac{b}{7}$

   a) $\dfrac{a}{b}$ et $\dfrac{b}{a}$

9. a) Indique la fraction représentée par la partie coloriée de chacune des illustrations ci-dessous.

   1)
   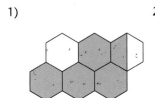

   2)

   3)
   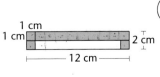

   4)
   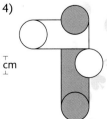

   b) Place les fractions obtenues dans l'ordre décroissant.

10. Compare les expressions suivantes à l'aide des symboles <, > ou =.

a) $\frac{7}{11}$ ▪ $\frac{9}{20}$

b) 60 % ▪ $\frac{29}{50}$

c) $2\frac{4}{5}$ ▪ $\frac{84}{30}$

d) -15 % ▪ -23 %

e) $-\frac{7}{12}$ ▪ $-\frac{11}{20}$

f) $\frac{18}{25}$ ▪ 72 %

11. Hubert affirme que 30 cartes de hockey représentent les $\frac{5}{6}$ de sa collection. Son amie Rebecca affirme que 12 cartes de hockey correspondent aux $\frac{3}{10}$ de sa collection. Qui, de Hubert et de Rebecca, a le plus de cartes de hockey ?

12. Place dans l'ordre croissant les expressions suivantes :

$$1 \quad 215\% \quad 0 \quad \frac{3}{5} \quad 91\% \quad -500 \quad \frac{18}{20} \quad \frac{7}{4} \quad 63\%$$

13. ROBOTIQUE Le robot ASIMO est l'un des robots humanoïdes les plus perfectionnés du monde. Après une démonstration de son savoir-faire, cinq élèves d'une classe de sciences décident de construire un robot. Ces élèves passeront les $\frac{2}{9}$ du temps à développer le concept et à tracer les plans. Pendant les $\frac{5}{18}$ du temps, ils et elles construiront le robot, et les neuf vingtièmes du temps serviront à effectuer des tests et à apporter des modifications. Finalement, il leur faudra un vingtième du temps pour présenter leur robot.

a) À quelle étape sera alloué le plus de temps ?

b) Si la durée prévue du projet est de 360 h, combien d'heures seront allouées à chacune des étapes ?

c) ASIMO a été conçu dans le but d'aider les êtres humains à accomplir certaines tâches. Donne trois exemples de situations où un robot comme ASIMO pourrait être utilisé.

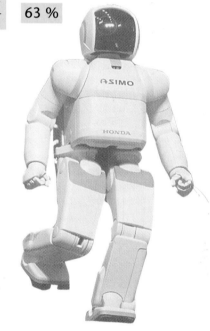

L'acronyme ASIMO signifie, en anglais, *Advanced Step in Innovative MObility,* ce qui se traduit par « avancée vers une mobilité novatrice ». Ce robot pèse 43 kg et a une taille de 120 cm. Il a été conçu pour manœuvrer dans un environnement humain normal et exécuter différentes tâches.

14. Quatre amies ont des éprouvettes identiques. Esther a rempli les $\frac{5}{9}$ de son éprouvette et Morgane, les $\frac{7}{36}$ de la sienne. Sally et Éloïse ont rempli respectivement le $\frac{1}{4}$ et les $\frac{2}{3}$ de leur éprouvette. Détermine quelle fraction d'une éprouvette elles ont remplie en moyenne.

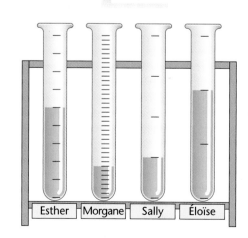

Unité 5.3 Chose certaine, c'est impossible !

SITUATION-PROBLÈME Le jeu télévisé

L'animatrice d'un jeu télévisé explique le prochain jeu au participant.

Je vous remets deux dés équilibrés à six faces : un bleu et un rouge. Vous devez lancer les deux dés une seule fois et prédire la somme des nombres représentés sur la face supérieure des dés. Si votre prévision est exacte, vous gagnez le gros lot.

Le gros lot !

Quelle somme choisir ?

Quelle somme le participant devrait-il choisir ?

PISTES D'EXPLORATION...

- As-tu dressé la liste de toutes les sommes possibles ?

- Est-ce qu'obtenir 2 sur le dé rouge et 3 sur le dé bleu ou 3 sur le dé rouge et 2 sur le dé bleu sont deux façons différentes d'obtenir une somme de 5 ?

- Est-ce qu'un tableau ou une grille t'aiderait à présenter les résultats ?

Des drapeaux qui se ressemblent

Les drapeaux de certains pays ont des bandes de couleurs identiques et se différencient uniquement par la position de ces bandes. C'est le cas de la Hongrie et de la Bulgarie.

Hongrie
Bulgarie

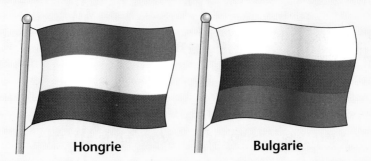

Hongrie   **Bulgarie**

a. 1) On a tracé un diagramme en arbre pour illustrer toutes les possibilités de drapeaux à trois bandes horizontales que l'on peut former avec trois couleurs différentes. Que représente chacune des colonnes du diagramme en arbre illustré ci-contre?

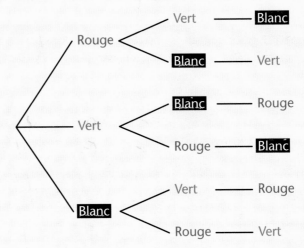

2) Donne les résultats possibles représentant cette situation.

b. 1) Trace un diagramme en arbre représentant toutes les possibilités de drapeaux à trois bandes horizontales utilisant les couleurs blanche, rouge et verte que l'on peut former si deux bandes peuvent avoir la même couleur.

2) Parmi ces possibilités, combien de drapeaux ont :

   i) exactement deux bandes rouges?

   ii) aucune bande blanche?

   iii) au moins une bande verte?

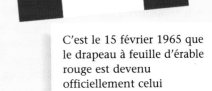

C'est le 15 février 1965 que le drapeau à feuille d'érable rouge est devenu officiellement celui du Canada.

c. Combien de drapeaux semblables au drapeau de l'île Maurice peut-on fabriquer si :

1) on ne peut pas répéter les couleurs?

2) on peut répéter les couleurs?

Île Maurice

Le hasard a-t-il une mémoire ?

On lance une pièce de monnaie à plusieurs reprises. Peut-on se baser sur les résultats précédents pour prédire les prochains résultats ? L'expérience suivante permettra de le vérifier.

a. Parmi les quatre méthodes suivantes, laquelle, d'après toi, est la meilleure pour prédire le résultat de chaque lancer ?

❶ Le résultat est toujours pile.

❷ Le résultat alterne à chaque lancer entre pile et face.

❸ Le résultat est toujours face.

❹ Le résultat est toujours le résultat contraire à celui obtenu au lancer précédent.

b. Lance une pièce de monnaie 50 fois. Avant chaque lancer, inscris ta prévision selon la méthode choisie en **a.** dans un tableau comme celui illustré ci-dessous.

Méthode utilisée : toujours pile

Lancer	Prévision	Résultat obtenu	Prévision exacte
1ᵉʳ	P	P	✓
2ᵉ	P	F	
3ᵉ	P	P	✓
...	...	...	...
50ᵉ	P	P	✓

Total des prévisions exactes :

c. Sur 50 lancers, combien de fois as-tu obtenu le résultat attendu ? Cela correspond-il à ce que tu prévoyais ?

d. Compare tes résultats avec ceux d'autres élèves qui ont utilisé la même méthode que toi.

e. Regroupe tous les résultats des élèves de la classe qui ont utilisé la même méthode que toi. Que remarques-tu ?

f. Compare tes résultats à ceux des élèves qui ont choisi une autre méthode.

g. Y a-t-il une méthode meilleure que les autres ?

ACTIVITÉ 3 · Les probabilités dans la vie quotidienne

Parmi les situations suivantes, regroupe celles qui ont les mêmes caractéristiques.
Explique ta façon de procéder.

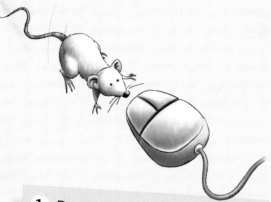

1 Dans une usine de fabrication de souris d'ordinateur, on choisit chaque jour au hasard 20 souris produites et on vérifie si elles fonctionnent correctement. On s'intéresse à la probabilité qu'une des souris vérifiées soit défectueuse.

2 Daniel révise ses tables de multiplication à l'aide d'un jeu de cartes. Chaque carte porte un nombre de 1 à 12. Il tourne en même temps deux cartes et essaie de trouver le produit des deux nombres le plus rapidement possible. Il se demande quelle est la probabilité que le produit des deux prochains nombres soit 34.

3 Catherine lance deux dés dont les faces sont numérotées de 1 à 6. Elle se demande quelles sont ses chances d'obtenir une somme de 14.

4 Martin a trois frères. Pour choisir lequel des quatre fera la vaisselle, leur père écrit leur nom sur des petits papiers, met les papiers dans un sac et en tire un au hasard. Martin s'interroge sur la probabilité que la personne choisie soit un garçon.

5 Après la récréation, les exposés oraux débutent dans le cours de français. Pour désigner les élèves qui feront leur exposé, l'enseignant tire cinq noms au sort. Julien se demande quelle est la probabilité qu'il soit choisi.

6 Paola choisit au hasard le nom d'un élève de cinquième secondaire de son école et se demande si cette personne connaît l'alphabet de sa langue maternelle.

Expérience aléatoire

Une expérience est **aléatoire** si :

1) son résultat dépend du **hasard,** c'est-à-dire que l'on ne peut pas prédire avec certitude le résultat de l'expérience ;

2) on peut décrire, avant l'expérience, l'ensemble de tous les résultats possibles, appelé l'**univers des résultats possibles.** Cet ensemble se note «Ω», qui se lit «oméga».

> L'univers des résultats possibles est toujours écrit entre accolades et chacun des résultats est séparé du suivant par une virgule.

> Ex. : 1) On lance un dé à six faces, et l'on observe le résultat obtenu sur la face supérieure. L'univers des résultats possibles est $\Omega = \{1, 2, 3, 4, 5, 6\}$.
>
> 2) On tire une bille d'un sac contenant 3 billes bleues, 2 rouges et 1 verte, et on observe la couleur de la bille. $\Omega = \{$bleue, rouge, verte$\}$

Une expérience aléatoire peut se dérouler en **une seule étape** ou en **plusieurs étapes.**

> Ex. : 1) Le lancer d'un dé est une expérience aléatoire à une étape.
>
> 2) Le lancer d'un dé suivi du lancer d'une pièce de monnaie est une expérience aléatoire à deux étapes.

Événement

Un **événement** est un **sous-ensemble** de l'univers des résultats possibles. On dit qu'un événement est **élémentaire** s'il contient **un seul résultat** de l'univers des résultats possibles.

> Ex. : 1) Lors du lancer d'un dé à six faces, «obtenir un nombre pair» est un événement et correspond à $\{2, 4, 6\}$.
>
> 2) Lors du lancer d'un dé à six faces, «obtenir 3» est un événement élémentaire, car il représente un seul résultat de l'univers des résultats possibles : $\{3\}$.

Dénombrement

Pour **déterminer le nombre de résultats possibles** d'une **expérience à plusieurs étapes**, on peut **multiplier** le nombre de résultats possibles à chacune des étapes.

Ex. :

1) On veut choisir au hasard un chandail parmi 4, un pantalon parmi 3 et un manteau parmi 2.

Le **diagramme en arbre** illustre bien toutes ces possibilités.

Diagramme en arbre

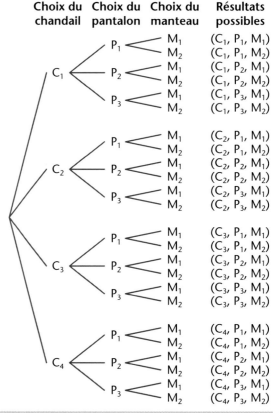

Choix du chandail	Choix du pantalon	Choix du manteau	Résultats possibles
C_1	P_1	M_1	(C_1, P_1, M_1)
		M_2	(C_1, P_1, M_2)
	P_2	M_1	(C_1, P_2, M_1)
		M_2	(C_1, P_2, M_2)
	P_3	M_1	(C_1, P_3, M_1)
		M_2	(C_1, P_3, M_2)
C_2	P_1	M_1	(C_2, P_1, M_1)
		M_2	(C_2, P_1, M_2)
	P_2	M_1	(C_2, P_2, M_1)
		M_2	(C_2, P_2, M_2)
	P_3	M_1	(C_2, P_3, M_1)
		M_2	(C_2, P_3, M_2)
C_3	P_1	M_1	(C_3, P_1, M_1)
		M_2	(C_3, P_1, M_2)
	P_2	M_1	(C_3, P_2, M_1)
		M_2	(C_3, P_2, M_2)
	P_3	M_1	(C_3, P_3, M_1)
		M_2	(C_3, P_3, M_2)
C_4	P_1	M_1	(C_4, P_1, M_1)
		M_2	(C_4, P_1, M_2)
	P_2	M_1	(C_4, P_2, M_1)
		M_2	(C_4, P_2, M_2)
	P_3	M_1	(C_4, P_3, M_1)
		M_2	(C_4, P_3, M_2)

Nombre de résultats possibles : $4 \times 3 \times 2 = 24$

2) On veut déterminer le nombre de chemins possibles pour se rendre de la ville **A** à la ville **C** en passant par la ville **B**. Il y a trois routes qui relient la ville **A** à la ville **B** et deux routes qui relient la ville **B** à la ville **C**.

Le **réseau** illustre bien toutes ces possibilités.

Réseau

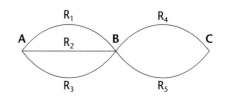

Nombre de résultats possibles : $3 \times 2 = 6$

3) On veut déterminer tous les résultats possibles lors du lancer simultané d'une pièce de 10 ¢ et d'une pièce de 5 ¢.

La **grille** illustre bien toutes ces possibilités.

Grille

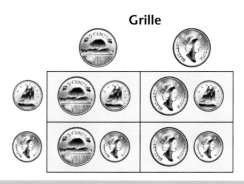

Nombre de résultats possibles : $2 \times 2 = 4$

Calepin des savoirs

Probabilité théorique

La probabilité d'un événement est un nombre qui quantifie la possibilité que cet événement a de se produire. On exprime souvent une **probabilité** sous la forme d'une **fraction** ou d'un **pourcentage**.

$$\text{Probabilité théorique} = \frac{\text{nombre de résultats favorables}}{\text{nombre de résultats possibles}}$$

Ex. : Lorsqu'on lance un dé à six faces :

1) la probabilité de l'événement « obtenir un nombre pair » est notée :

$$P(\text{pair}) = \frac{\text{nombre de résultats favorables}}{\text{nombre de résultats possibles}} = \frac{3}{6} = \frac{1}{2}$$

2) la probabilité de l'événement « obtenir 3 » est notée $P(3) = \frac{1}{6}$.

> La probabilité d'un événement est un **nombre de 0 à 1.**

Probabilité fréquentielle

La **probabilité fréquentielle** d'un événement est le nombre obtenu à la suite d'une **expérimentation**. Elle est souvent utilisée lorsque la probabilité théorique est impossible à calculer.

$$\text{Probabilité fréquentielle} = \frac{\text{nombre de fois que le résultat s'est réalisé}}{\text{nombre de fois que l'expérience a été répétée}}$$

Ex. : Pour connaître la probabilité qu'un joueur ou une joueuse de basket-ball réussisse son prochain lancer, on doit faire des essais et établir une probabilité en fonction de ces derniers ou bien se fier à ses performances lors des parties précédentes.

Plus le nombre de répétitions d'une expérience aléatoire est grand, plus la probabilité fréquentielle s'approche de la probabilité théorique.

Types d'événements

On dit qu'un **événement** est :

- **impossible** si la **probabilité** de l'obtenir est **0** ;

  > Ex. : L'événement « tirer une bille rouge » d'un sac qui ne contient que des billes bleues est un événement impossible.

- **probable** si la **probabilité** de l'obtenir est **entre 0 et 1** ;

  > Ex. : L'événement « tirer une bille rouge » d'un sac qui contient des billes rouges et des billes bleues est un événement probable.

- **certain** si la **probabilité** de l'obtenir est **1**.

  > Ex. : L'événement « tirer une bille rouge » d'un sac qui ne contient que des billes rouges est un événement certain.

Coup d'œil

1. Indique si les expériences suivantes sont aléatoires ou non.

   a) Prévoir la date de la prochaine éclipse du Soleil.

   b) Choisir au hasard un nom dans le bottin.

   c) Prévoir l'heure de la prochaine marée à Gaspé.

   d) Prévoir la réponse d'une personne inconnue à qui l'on demande de nommer son mets favori.

2. Détermine l'univers des résultats possibles de chacune des situations décrites.

   a) On lance une pièce de monnaie ; on s'intéresse au côté visible, une fois la pièce retombée.

   b) On tire une bille d'un sac qui contient 8 billes bleues, 9 mauves et 3 roses ; on note la couleur de la bille obtenue.

   c) On tire une carte d'un jeu de cartes et on note la couleur obtenue.

   d) On lance deux dés numérotés de 1 à 6 et l'on s'intéresse au produit des deux nombres sur les faces supérieures.

Dans un jeu de cartes, le pique, le trèfle, le cœur et le carreau sont appelés des « couleurs ».

3. Détermine sous la forme de fractions la probabilité des événements suivants.

   a) Obtenir « 6 » en lançant un dé ordinaire.

   b) Obtenir « pile » en lançant une pièce de monnaie.

   c) Obtenir un mot contenant la lettre « R » en choisissant au hasard l'un des 12 mois de l'année.

   d) Obtenir un prénom de fille en tirant au hasard un billet d'un sac qui contient des billets où sont inscrits tous les prénoms des élèves de la classe.

4. Indique si la probabilité est fréquentielle ou théorique.

   a) Après avoir examiné les statistiques de l'hôpital, Nathalie conclut que la probabilité qu'elle donne naissance à un garçon est de 40 %.

   b) Brigitte tire 40 fois une bille d'un sac qui contient 3 billes jaunes, 2 brunes et 1 lilas. D'après les résultats obtenus, elle déduit que $P(\text{jaune}) = \frac{1}{2}$, $P(\text{brune}) = \frac{3}{10}$ et $P(\text{lilas}) = \frac{1}{5}$.

   c) La probabilité de choisir « 7 » parmi les 10 chiffres est de $\frac{1}{10}$.

5. Indique si les événements suivants sont impossibles, probables ou certains.

   a) Tirer un as d'un jeu de cartes.

   b) Tirer la lettre T d'un sac qui contient des papiers sur lesquels on a écrit seulement des voyelles.

   c) Choisir au sort un nombre impair parmi les 100 premiers nombres naturels.

   d) Obtenir « pile » lors du lancer d'une pièce de monnaie truquée où les deux côtés montrent « pile ».

6. Il y a 5 portes pour entrer ou sortir d'une pièce. Détermine le nombre de façons d'entrer et de sortir de cette pièce si l'on ne peut pas sortir et entrer par la même porte.

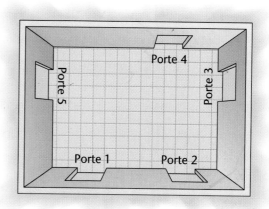

7. Sur la ligne de départ, 6 coureurs automobiles prennent place. Si tous les coureurs terminent la course et qu'il n'y a pas d'*ex æquo,* combien de résultats différents est-il possible d'obtenir à la ligne d'arrivée?

8. FEUX DE SIGNALISATION Un des modèles de feux de signalisation est composé de trois cercles disposés à la verticale. Combien de possibilités s'offraient à l'inventeur de ce modèle de feux de circulation quant à la position des couleurs des trois cercles?

C'est en 1868 qu'on installa à Londres le premier feu rouge. Il s'agissait d'une lanterne qui fonctionnait au gaz, montée sur un pied à 7 m de hauteur. D'un côté elle était rouge et de l'autre, verte. On la tournait à l'aide d'un levier.

9. Marie est née au cours d'une année non bissextile. Quelle est la probabilité qu'elle soit née :

   a) un 5 avril?   b) au mois de mars?   c) un 29 février?

10. Lors d'un tirage aléatoire d'une carte d'un jeu de 52 cartes, quelle est la probabilité d'obtenir :

   a) le roi de cœur?   b) une carte noire?   c) un carreau?   d) un sept?

11. À l'aide des chiffres 3, 4 et 5, on forme tous les nombres de trois chiffres possibles, sans répéter le même chiffre dans un nombre.

   a) Énumère tous les nombres que l'on peut former.

   b) Est-il vrai que tous les nombres formés sont divisibles par 3? Explique ta réponse.

12. Exprime en pourcentage la probabilité :

   a) d'obtenir un «a» en tirant au hasard une lettre parmi celles du mot «cargo»;

   b) que, dans le labyrinthe ci-contre, la souris atteigne le fromage au premier essai;

   c) que le représentant d'une classe soit une fille si cette classe est composée de 12 garçons et de 13 filles, et que le choix est fait au hasard.

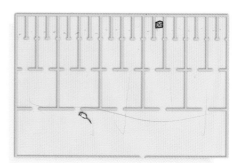

13. Gregory part en voyage à la Barbade. Plusieurs possibilités s'offrent à lui quant au vol d'aller et de retour. Son agent de voyages lui présente toutes les possibilités sous la forme d'un réseau. Combien de possibilités a Gregory pour aller à la Barbade et en revenir?

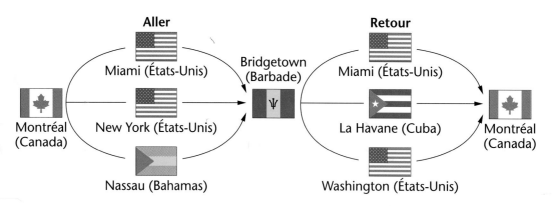

14. On lance deux dés, un rouge et un bleu, dont les faces sont numérotées de 1 à 6. Jocelyn utilise une grille pour découvrir tous les résultats possibles.

   a) Reproduis la grille ci-contre et complète-la.

   b) Représente cette situation à l'aide d'un diagramme en arbre.

   c) Quelle est la probabilité que le résultat obtenu soit deux nombres impairs?

   d) Si on lançait trois dés, serait-il préférable de faire une grille ou un diagramme en arbre? Explique ta réponse.

	1	2	3	4	5	6
1	(1, 1)	(2, 1)	(3, 1)	(4, 1)	(5, 1)	(6, 1)
2	(1, 2)	(2, 2)	(3, 2)	(4, 2)		
3	(1, 3)	(2, 3)				
4						
5						
6						

15. Quatre enfants d'une même famille doivent s'occuper de certaines tâches ménagères : passer l'aspirateur, nettoyer la salle de bain, faire la vaisselle et mettre de l'ordre dans la salle de jeux. De combien de façons différentes ces tâches peuvent-elles être réparties entre les quatre enfants ?

16. Quelle est la probabilité d'obtenir 35 si l'on choisit un nombre au hasard dans une urne contenant tous les multiples de 5 composés de deux chiffres ?

17. Lors d'un tournoi de soccer, deux baladeurs sont attribués au hasard parmi les 11 joueuses de l'équipe gagnante. Émilie, qui n'a pas gagné au premier tirage, a marqué le but gagnant.

a) Quelle est la probabilité qu'elle gagne au second tirage si une joueuse ne peut pas gagner deux fois ?

b) Cette probabilité serait-elle la même si la gagnante du premier tirage pouvait aussi participer au second ?

Environ 152 000 jeunes s'inscrivent dans un club de soccer au Québec l'été. Parmi ceux-ci, environ 37 % sont des filles.

18.

Première expérience

Dans une urne contenant des boules numérotées de 1 à 5, on tire d'abord une boule qui représentera le chiffre des dizaines et on ne la remet pas dans l'urne. On tire ensuite une deuxième boule qui représentera le chiffre des unités.

Seconde expérience

Dans une urne contenant des boules numérotées de 1 à 5, on tire d'abord une boule qui représentera le chiffre des dizaines, puis on la remet dans l'urne. On tire ensuite une deuxième boule qui représentera le chiffre des unités.

Pour chacune des expériences, calcule la probabilité que le nombre de deux chiffres soit :

a) pair ;   b) premier ;   c) inférieur à 40 ;   d) un carré parfait.

19. Sharmila joue en ligne contre Victor à un jeu de bataille navale.

Les cinq navires doivent être placés à l'horizontale ou à la verticale. Le but du jeu est de couler les bateaux de l'adversaire en choisissant les cases appropriées. Par exemple, si Victor choisit la case **B5**, il touchera le destroyer de Sharmila. Lorsqu'il aura aussi choisi les cases **B6** et **B7**, il aura coulé le destroyer de Sharmila.

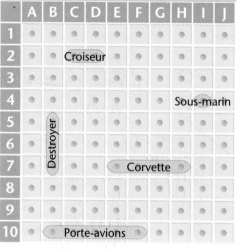

Écran de Sharmila

a) Quelle est la probabilité que Victor touche un des bateaux de Sharmila au premier coup?

b) Victor a-t-il plus de chances de toucher le croiseur que le sous-marin? Explique ta réponse.

c) Victor a déjà tiré huit fois et n'a toujours pas touché le sous-marin. La probabilité de toucher le sous-marin au neuvième tir est-elle plus grande qu'au premier tir? Explique ta réponse.

d) Victor a touché le croiseur de Sharmila au premier coup. Il tentera de le couler au prochain coup. Quelle est la probabilité qu'il le coule au prochain coup?

20. Plie une feuille de papier en deux parties identiques, à six reprises.

a) Exprime à l'aide de la notation exponentielle le nombre de parties obtenues.

b) Colorie le quart des parties. Combien de parties as-tu coloriées?

c) Si tu choisis une partie aléatoirement, quelle est la probabilité que tu choisisses une partie non coloriée?

21. COMMUNICATION Joannie ne comprend pas pourquoi, en 1998, le code régional 450 pour les banlieues de Montréal fut mis en service et que le 514 fut limité à l'île de Montréal. Elle tient compte du fait que le premier chiffre d'un numéro de téléphone ne peut être 0 ou 1 et ses calculs l'amènent à conclure qu'il y a presque autant de numéros de téléphone possibles dans le 514 que de personnes au Québec. A-t-elle raison? Si oui, comment peux-tu expliquer la décision de créer deux codes régionaux? Sinon, quelle erreur Joannie a-t-elle commise?

PROJET

Cette unité t'aidera à réaliser la partie 2 de ton projet.

SITUATION-PROBLÈME Les Mosaïcultures

En 2003 avaient lieu à Montréal les Mosaïcultures sous le thème «Mythes et légendes du monde». Une botaniste s'est intéressée à cet événement haut en couleur et a remarqué que les structures étaient toutes composées soit d'une, soit de deux couleurs de fleurs, et que :

- le quart des sculptures florales possédaient des fleurs mauves;

- le cinquième, des fleurs jaunes;

- les cinq sixièmes, des fleurs blanches;

- les cinq douzièmes, des fleurs rouges.

Les botanistes sont des spécialistes des végétaux et peuvent travailler autant sur le terrain qu'en laboratoire. Ils et elles s'intéressent aux utilisations possibles des plantes, et recherchent des moyens de conserver la biodiversité dans les milieux.

Les Mosaïcultures, Montréal 2003.

Quelle fraction des structures florales sont composées de deux couleurs de fleurs ?

PISTES D'EXPLORATION...

- As-tu déterminé des fractions équivalentes à celles qui sont indiquées ?

- Si chaque sculpture n'avait qu'une seule couleur de fleurs, quelle devrait être la somme de l'ensemble des fractions ?

- As-tu représenté la situation par un dessin ?

ACTIVITÉ 1 La guignolée

Chaque année durant la période des fêtes, une journée est réservée à la grande guignolée des médias. Cette collecte d'argent et de denrées non périssables a lieu partout au Québec. La grande région de Montréal s'est fixé comme objectif d'amasser les trois cinquièmes des dons recueillis au Québec, la région de Québec, le quart, et les autres régions du Québec, le reste.

a. Quelle fraction des dons de l'ensemble du Québec les autres régions du Québec devront-elles recueillir?

b. À midi, la grande région de Montréal a amassé l'équivalent des $\frac{3}{7}$ des dons recueillis au Québec. Quelle fraction de son objectif la grande région de Montréal doit-elle encore amasser?

L'histoire de la guignolée

Les origines de la guignolée remonteraient à la fête celte de fin d'année, au cours de laquelle les druides coupaient le gui et le donnaient aux malades, aux pauvres et aux soldats pour leur apporter réconfort, en criant «Au gui l'an neuf», qui semble être à l'origine du mot *guignolée*. Le gui était une plante sacrée chez les Gaulois, car il demeurait vert sur un arbre qui, l'hiver, semblait mort. Le gui était un symbole de l'immortalité.

ACTIVITÉ 2 Les appels téléphoniques

Les quatre membres de la famille Jodoin ont remarqué que 45 % des appels téléphoniques à la maison sont pour Maria, l'aînée de la famille, 30 % sont pour le plus jeune, Stéphane, et, finalement, 15 % sont pour la mère et 7 % pour le père.

a. Le téléphone sonne chez les Jodoin. Quelle est la probabilité que l'appel soit pour Maria ou Stéphane?

b. Aujourd'hui, le téléphone a sonné 20 fois chez les Jodoin. Combien d'appels Stéphane devrait-il avoir reçus?

c. Décris un événement relié à la famille Jodoin et dont la probabilité de se réaliser est de 37 %.

d. Quelle est la probabilité qu'un appel ne soit pas pour l'un des membres de la famille Jodoin?

Calepin des **savoirs**

Addition et soustraction

L'**addition** et la **soustraction** de nombres écrits sous la forme de **fractions** nécessitent la recherche de fractions équivalentes ayant le **même dénominateur**.

1. Si les dénominateurs sont les mêmes, l'addition ou la soustraction se fait directement en additionnant ou en soustrayant les numérateurs.

   Ex. : 1) $\dfrac{2}{15} + \dfrac{11}{15} = \dfrac{13}{15}$　　　　　2) $\dfrac{5}{7} - \dfrac{1}{7} = \dfrac{4}{7}$

2. Si les dénominateurs ne sont pas les mêmes, on cherche des fractions équivalentes qui ont le même dénominateur, puis on additionne ou soustrait les numérateurs.

   Ex. : 1) $\dfrac{1}{6} + \dfrac{3}{8}$

   $= \dfrac{1 \times 4}{6 \times 4} + \dfrac{3 \times 3}{8 \times 3}$　PPCM (6, 8) = **24**

   $= \dfrac{4}{24} + \dfrac{9}{24}$

   $= \dfrac{13}{24}$

   2) $\dfrac{7}{10} - \dfrac{5}{12}$

   $= \dfrac{7 \times 6}{10 \times 6} - \dfrac{5 \times 5}{12 \times 5}$　PPCM (10, 12) = **60**

   $= \dfrac{42}{60} - \dfrac{25}{60}$

   $= \dfrac{17}{60}$

Probabilité d'un événement

On dit qu'un événement s'est réalisé à partir du moment où l'un de ses résultats s'est produit.

La **probabilité d'un événement** est égale à la **somme des probabilités de chacun des événements élémentaires** qui le composent.

Ex. : Dans un sac contenant 4 billes bleues, 3 rouges et 6 noires, la probabilité de l'événement «tirer une bille bleue ou une bille rouge» se note :

P(bleue ou rouge) = P(bleue) + P(rouge)

$= \dfrac{4}{13} + \dfrac{3}{13} = \dfrac{7}{13}$,

car «tirer une bille bleue» et «tirer une bille rouge» sont deux événements élémentaires.

La **somme des probabilités** de tous les événements élémentaires d'une expérience aléatoire est **1**.

Ex. : Dans le sac de l'exemple précédent, il y a trois événements élémentaires : «tirer une bille bleue», «tirer une bille rouge» et «tirer une bille noire». La somme des probabilités de ces trois événements élémentaires est 1.

P(bleue ou rouge ou noire) = P(bleue) + P(rouge) + P(noire)

$= \dfrac{4}{13} + \dfrac{3}{13} + \dfrac{6}{13} = \dfrac{13}{13} = 1$

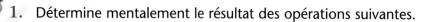

Coup d'œil

1. Détermine mentalement le résultat des opérations suivantes.

   a) 15 % + 56 %

   b) 69 % − 12 %

   c) 182 % − 77 %

   d) $\frac{7}{15} + \frac{4}{15}$

   e) $\frac{9}{4} - \frac{1}{4}$

   f) $8\frac{1}{7} + \frac{2}{7}$

2. Quel est l'entier le plus près du résultat des opérations suivantes ?

   a) $\frac{3}{7} + \frac{7}{15}$

   b) $3\frac{7}{8} - 1\frac{11}{12}$

   c) $4\frac{5}{6} + 3\frac{1}{5}$

   d) $\frac{89}{8} - \frac{24}{5}$

3. Effectue les opérations suivantes.

   a) $\frac{5}{7} - \frac{1}{6}$

   b) $\frac{11}{20} + \frac{7}{15}$

   c) $\frac{8}{7} + \frac{5}{14}$

   d) $7 - \frac{7}{11}$

   e) $5\frac{1}{4} + 7\frac{5}{6}$

   f) $\frac{4}{3} - \frac{1}{9}$

   g) 45 % + 167 %

   h) $\frac{1}{10} - \frac{1}{35}$

4. Indique deux fractions qui n'ont pas le même dénominateur et dont la somme est :

   a) $\frac{5}{8}$

   b) 1

5. Explique, simplement à l'aide d'une estimation, comment tu peux avoir la certitude que l'élève qui a effectué le calcul suivant, $\frac{8}{9} + \frac{1}{7} = \frac{9}{16}$, a fait une erreur.

6. Détermine la fraction irréductible manquante.

   a) $\frac{3}{7} + \frac{a}{b} = \frac{5}{7}$

   b) $\frac{a}{b} - \frac{3}{8} = \frac{3}{4}$

   c) $\frac{a}{b} + 10 = 18\frac{1}{5}$

   d) $\frac{15}{22} - \frac{a}{b} = \frac{1}{2}$

7. Place le symbole qui convient : <, > ou =.

   a) $\frac{1}{5} + \frac{7}{8} \blacksquare \frac{1}{6} + \frac{3}{4}$

   b) $2\frac{7}{9} - 1\frac{8}{9} \blacksquare 12\frac{1}{5} - 11\frac{4}{5}$

   c) $\frac{22}{3} - \frac{32}{6} \blacksquare 20\% + \frac{9}{5}$

8. Lors du dernier cours de sciences, l'enseignant a récupéré les $\frac{3}{7}$ d'un erlenmeyer de produit chimique. Aujourd'hui, il a utilisé les $\frac{8}{11}$ d'un erlenmeyer de même capacité et il a conservé le reste. Quelle fraction d'un erlenmeyer a-t-il conservée en tout ?

Un erlenmeyer est un contenant utilisé dans les laboratoires de sciences.

9. Deux trains voyageant en sens inverse doivent parcourir la distance entre Toronto et New York. Le premier train part de Toronto et s'arrête à une gare située aux $\frac{3}{7}$ du trajet. Le second train part de New York et s'arrête à une gare située aux $\frac{4}{9}$ du trajet.

   a) Sans effectuer de calcul, détermine si ces deux trains se sont rencontrés. Explique ta réponse.

   b) Quelle fraction du trajet sépare ces deux trains?

10. Un sac de billes contient 5 billes rouges, 8 orange et 7 blanches. Quelle est la probabilité de tirer une bille rouge ou blanche?

11. On choisit au hasard une carte dans un jeu de 52 cartes. Quelle est la probabilité d'obtenir un as ou un roi?

12. On fait tourner la roue illustrée ci-contre. Quelle est la probabilité qu'elle s'arrête sur une section rose?

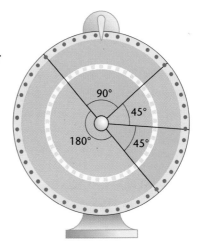

13. On lance un dé pipé à six faces numérotées de 1 à 6. On s'intéresse au résultat qui apparaît sur la face supérieure du dé. On sait que :

    $P(1) = P(2) = \frac{3}{20}$, $P(3) = \frac{3}{10}$, $P(4) = \frac{1}{8}$, $P(5) = \frac{3}{40}$.

    Quelle est la probabilité d'obtenir un 6?

    > Un dé pipé est un dé qui n'est pas équilibré. La probabilité d'obtenir une face lors d'un lancer n'est pas la même pour toutes les faces.

14. On choisit au hasard une carte mauve et une carte orange. On calcule la somme des nombres inscrits sur chacune d'elles.

    a) Quel est l'univers des résultats possibles?

    b) Détermine $P\left(\text{la somme est } \frac{3}{8} \text{ ou } \frac{3}{4} \text{ ou } 5\frac{2}{3}\right)$.

15. Dans une école, on a demandé à chaque élève de première secondaire de nommer le continent d'origine de ses grands-parents.

On choisit au hasard un ou une élève de première secondaire de cette école. Quelle est la probabilité que cette personne :

a) soit un garçon ?

b) ait des grands-parents d'origine asiatique ?

c) soit une fille dont les grands-parents sont d'origine européenne ?

Continent d'origine des grands-parents

	Garçons	Filles
Asie	21	23
Afrique	24	22
Amérique	45	45
Océanie	2	1
Europe	19	14

16. RECENSEMENT En 2001, au Canada, 23 % de la population avait le français comme langue maternelle et 59 %, l'anglais.

a) En 2001, quel pourcentage de la population canadienne était allophone, c'est-à-dire qui avait une autre langue que le français ou l'anglais comme langue maternelle ?

b) Le Canada a deux langues officielles, l'anglais et le français. Une personne est sélectionnée au hasard parmi 100 Canadiennes et Canadiens choisis eux aussi au hasard. Quelle est la probabilité que cette personne ait l'anglais ou le français comme langue maternelle ?

17. Joey prépare son budget mensuel. Il utilisera le quart de ses revenus pour payer son loyer, le cinquième sera consacré à sa voiture, le dixième à l'épicerie, trois dixièmes lui serviront à acheter de nouveaux meubles et le reste sera déposé à la banque. Quel pourcentage de son salaire Joey déposera-t-il à la banque ?

18. Julie, Marc et Naomie ont la charge de distribuer le courrier de Noël dans l'école. Ils ont en tout 960 lettres à classer. Julie en a classé le $\frac{1}{5}$, Marc, les $\frac{3}{8}$, et Naomie a classé le reste.

a) Quelle fraction des lettres Naomie a-t-elle classée ?

b) Combien de lettres Naomie a-t-elle classées ?

19. Un programme informatique permet d'évaluer la superficie de figures quelconques à l'aide du hasard. Le programme génère des points à l'écran de façon aléatoire et note combien d'entre eux sont à l'intérieur de la figure. Prenons, par exemple, un écran d'ordinateur qui a une superficie de 800 cm^2.

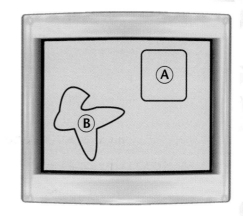

Le programme a généré aléatoirement 5000 points, dont 1000 étaient à l'intérieur de la figure **A** et 1500 à l'intérieur de la figure **B**.

a) Selon cette expérience, quelle est la superficie de la figure :

   1) **A** ?   2) **B** ?

b) Quelle fraction irréductible de l'écran les figures **A** et **B** occupent-elles ensemble ?

c) Quand on génère un point au hasard, quelle est la probabilité qu'il ne soit ni à l'intérieur de la figure **A** ni à l'intérieur de la figure **B** ?

20. Estelle désire créer une peinture d'art abstrait à numéros. Elle utilise 6 couleurs. Elle subdivise son œuvre en 12 parties. Combien d'œuvres différentes pourra-t-elle créer si deux couleurs identiques peuvent se toucher ?

La mathématicienne américaine Grace Hopper (1906-1992), conceptrice du langage informatique COBOL, a découvert, en 1945, le premier véritable «bug» informatique. Un papillon de nuit, coincé entre deux relais d'un ordinateur, avait causé un court-circuit. Le terme bogue décrit depuis une panne informatique.

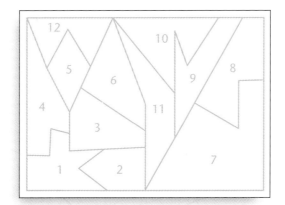

Que penses-tu de l'énoncé suivant ? S'il est faux, donne un contre-exemple.

Dans une même expérience aléatoire, un événement composé de plusieurs résultats de l'univers des résultats possibles a toujours une plus grande probabilité de se réaliser qu'un événement élémentaire.

PROJET — Cette unité t'aidera à réaliser les parties 2 et 3 de ton projet.

SITUATION-PROBLÈME La propriétaire

Madame Joly a hérité d'un immense terrain.

Quelle grande superficie !

Elle décide de partager le terrain entre ses enfants et elle.

Quelle sera la part de chacun ?

Une si vaste étendue lui a un peu fait perdre la tête et elle partage le terrain de la façon suivante.

Ma petite Jocelyne, je te donne les deux cinquièmes des quinze seizièmes du terrain.

Toi, Gilles, tu auras les trois quarts du quart du terrain.

Fabiola, les deux tiers des trois huitièmes du terrain sont pour toi.

Moi, je garde le reste.

Hubert, tu recevras le quart de la moitié du terrain.

Quelle fraction du terrain reviendra à madame Joly ?

PISTES D'EXPLORATION...

- As-tu représenté la situation à l'aide de dessins ?
- As-tu déterminé la fraction du terrain attribuée à chacun et chacune ?
- As-tu comparé ta solution avec celles d'autres élèves ?

ACTIVITÉ 1 — Un mot et un symbole

Yves a trouvé la réponse à une multiplication de deux nombres naturels en utilisant la représentation ci-contre.

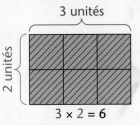

3 unités

2 unités

$3 \times 2 = 6$

Il a appliqué le même raisonnement pour multiplier deux nombres écrits sous la forme de fractions.

a. À l'aide du dessin ci-contre, détermine le produit de $\frac{1}{4} \times \frac{5}{16}$.

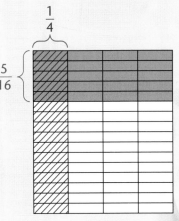

$\frac{1}{4}$

$\frac{5}{16}$

b. De la même façon, représente les multiplications suivantes et donnes-en le produit.

1) $\frac{3}{4} \times \frac{5}{6}$

2) $\frac{2}{7} \times \frac{4}{5}$

Pour multiplier des nombres fractionnaires, par exemple $2\frac{1}{5} \times 3\frac{1}{2}$, on peut :

- écrire les nombres fractionnaires en fractions où ⬜ représente l'unité ;

- utiliser la représentation ci-dessous où ⬜ représente l'unité.

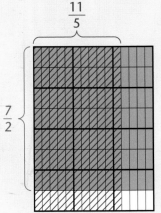

$\frac{11}{5}$

$\frac{7}{2}$

$2\frac{1}{5} \times 3\frac{1}{2} = \frac{11}{5} \times \frac{7}{2}$

$= \frac{77}{10}$ ou $7\frac{7}{10}$

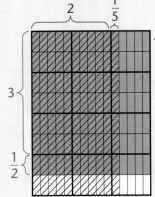

2

$\frac{1}{5}$

3

$\frac{1}{2}$

$2\frac{1}{5} \times 3\frac{1}{2} = \left(2 + \frac{1}{5}\right) \times \left(3 + \frac{1}{2}\right)$

$= 2 \times 3 + 2 \times \frac{1}{2} + 3 \times \frac{1}{5} + \frac{1}{5} \times \frac{1}{2}$

$= 6 + 1 + \frac{3}{5} + \frac{1}{10}$

$= 7\frac{7}{10}$

c. Détermine le résultat des opérations suivantes. Au besoin, utilise un dessin.

1) $2\frac{1}{3} \times 3\frac{1}{2}$

2) $1\frac{3}{4} \times 3\frac{5}{6}$

d. Détermine le résultat des expressions ci-dessous.

1) $\frac{3}{4}$ de $\frac{2}{5}$ et $\frac{3}{4} \times \frac{2}{5}$

2) $\frac{5}{6}$ de 3 et $\frac{5}{6} \times 3$

Quelle conclusion peux-tu en tirer ?

Unité 5.5 41

Les rabais et les taxes

Les ventes de fin de saison et les taxes à payer sur des achats constituent des occasions où tu dois évaluer mentalement le pourcentage d'un nombre. Pour ce faire, on utilise des fractions irréductibles.

> Par exemple, pour calculer 25 % de 40, on détermine la fraction irréductible qui correspond à 25 %, soit $\frac{1}{4}$, puis on calcule le quart de 40, ce qui donne 10.

a. Utilise cette stratégie pour calculer les rabais suivants.

1) 10 % sur un article étiqueté à 50 $;

2) 50 % sur un article étiqueté à 68 $;

3) 25 % sur un article étiqueté à 32 $;

4) 1 % sur un article étiqueté à 200 $.

b. Que signifierait un rabais de 100 % sur un article ?

c. Explique comment tu pourrais calculer mentalement 99 % d'un nombre.

d. On arrondit le pourcentage des taxes à 15 % lorsqu'on veut les calculer mentalement. Observe la stratégie ci-dessous.

> 15 % de 120 = 10 % de 120 + 5 % de 120
>   = 12 + 6
>   = 18

Estime le montant des taxes si la facture s'élève à :

1) 20 $ 2) 320 $ 3) 10 000 $ 4) 100 $

e. Certains pourcentages sont plus difficiles à calculer mentalement. On peut alors effectuer un calcul écrit. Détermine par écrit :

1) 12 % de 14   2) 27 % de 11   3) 17 % × 23

f. Les calculs associés au pourcentage d'un nombre impliquent souvent des multiplications de grands nombres. Voici une méthode qui te permettra de simplifier tes calculs :

$$33 \% \text{ de } \frac{25}{77} = \frac{33}{100} \text{ de } \frac{25}{77} = \frac{33}{100} \times \frac{25}{77} = \frac{33 \times 25}{100 \times 77} = \frac{33 \times 25}{77 \times 100} = \frac{3}{7} \times \frac{1}{4} = \frac{3}{28}$$

Effectue les calculs suivants en simplifiant avant de multiplier.

1) 48 % de 80   2) 49 % × $\frac{25}{63}$ 3) 125 % × $\frac{8}{15}$

Multiplication

Pour multiplier des nombres écrits sous la forme de fractions, on doit **multiplier les numérateurs ensemble et les dénominateurs ensemble**.

Ex. : $\dfrac{3}{8} \times \dfrac{5}{7} = \dfrac{3 \times 5}{8 \times 7} = \dfrac{15}{56}$

Lorsque le produit contient un ou des nombres fractionnaires, on les écrit d'abord en fractions, puis on effectue la multiplication.

Ex. : $4\frac{2}{3} \times 2\frac{3}{5} = \dfrac{14}{3} \times \dfrac{13}{5} = \dfrac{182}{15}$ ou $12\frac{2}{15}$

Calculer la fraction d'un nombre se traduit par une multiplication.

Ex. : $\dfrac{3}{4}$ de $\dfrac{4}{5}$ se traduit par $\dfrac{3}{4} \times \dfrac{4}{5}$.

Pourcentage d'un nombre

Le calcul du pourcentage d'un nombre équivaut à calculer la fraction d'un nombre.

Ex. : 1) 23% de $7 = \dfrac{23}{100} \times \dfrac{7}{1} = \dfrac{161}{100}$ ou $1\frac{61}{100}$ 　　　 2) 63% de $\dfrac{3}{5} = \dfrac{63}{100} \times \dfrac{3}{5} = \dfrac{189}{500}$

Simplification de fractions

Lorsqu'on multiplie des fractions, il est souvent préférable de simplifier avant de multiplier afin de travailler avec de plus petits nombres et d'obtenir une réponse déjà simplifiée.

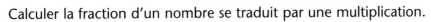

Ex. : 1) $\dfrac{\overset{1}{\cancel{4}}}{\underset{5}{\cancel{25}}} \times \dfrac{\overset{3}{\cancel{15}}}{\underset{11}{\cancel{44}}} = \dfrac{1}{\cancel{25}} \times \dfrac{\cancel{15}}{11} = \dfrac{1}{5} \times \dfrac{3}{11} = \dfrac{3}{55}$ 　　 2) 28% de $45 = \dfrac{\overset{7}{\cancel{28}}}{\underset{25}{\cancel{100}}} \times \dfrac{45}{1} = \dfrac{7}{\cancel{25}} \times \dfrac{\overset{9}{\cancel{45}}}{1} = \dfrac{7}{5} \times \dfrac{9}{1} = \dfrac{63}{5}$ ou $12\frac{3}{5}$

Calcul mental

Certains pourcentages peuvent se calculer mentalement. C'est le cas de :

- 50% d'un nombre, car il s'agit de la moitié de ce nombre;

  Ex. : 50% de $12 = \dfrac{1}{2} \times 12 = \dfrac{12}{2} = 6$

- 25% d'un nombre, car il s'agit du quart de ce nombre;

  Ex. : 25% de $32 = \dfrac{1}{4} \times 32 = \dfrac{32}{4} = 8$

- 10% d'un nombre, car il s'agit du dixième de ce nombre;

  Ex. : 10% de $340 = \dfrac{1}{10} \times 340 = \dfrac{340}{10} = 34$

- 1% d'un nombre, car il s'agit du centième de ce nombre.

  Ex. : 1% de $300 = \dfrac{1}{100} \times 300 = \dfrac{300}{100} = 3$

1. Effectue mentalement les multiplications suivantes.

   a) $\frac{4}{5} \times \frac{3}{7}$ b) $\frac{1}{9} \times 27$ c) $\frac{7}{11} \times \frac{2}{9}$ d) $\frac{12}{5} \times \frac{8}{7}$ e) $\frac{5}{8} \times 24$

2. Estime les produits suivants.

   a) $\frac{5}{6}$ de 31   b) $\frac{1}{8} \times 15$ c) 20 % de 26   d) 25 % × 43   e) $\frac{2}{7}$ de 50

3. Détermine mentalement la valeur des expressions suivantes.

   a) 50 % de 36   b) 25 % de 44   c) 10 % de 90   d) 5 % de 80

   e) 110 % de 40   f) 30 % de 700   g) 75 % de 16   h) 200 % de 42

4. Effectue les multiplications suivantes.

   a) $\frac{23}{12} \times \frac{11}{7}$ b) $4\frac{1}{5} \times \frac{3}{11}$ c) $\frac{14}{5} \times \frac{13}{9}$ d) $\frac{5}{24} \times \frac{12}{23}$

   e) $\frac{12}{55} \times \frac{6}{11}$ f) $\frac{100}{35} \times \frac{140}{100}$ g) 240 % × $\frac{125}{144}$ h) 25 % × 20 %

5. Détermine la valeur des expressions suivantes.

   a) 50 % de 40   b) 30 % × $\frac{1}{2}$ c) $\frac{3}{4}$ de 60 %   d) 15 % de 45 %

   e) $\frac{5}{6}$ de $\frac{7}{8}$ f) $3\frac{1}{2} \times 6\frac{1}{5}$ g) 120 % de 6   h) 200 % de $\frac{5}{6}$

6. **TAXES** Lorsqu'on fait un achat au Québec, on doit payer une taxe qui correspond à environ 15 % du coût total de cet achat. À quel montant s'élèveront les taxes si tu achètes un sac à dos de 40 $?

   De l'Antiquité jusqu'au 18ᵉ siècle environ, le sel, une denrée indispensable, a généralement été surtaxé.

7. Les énoncés suivants sont-ils vrais ou faux? Pourquoi?

   a) 5 fois $\frac{1}{4}$ est égal à $5\frac{1}{4}$;   b) $\frac{1}{8}$ de 4 est égal à 4 fois $\frac{1}{8}$;

   c) $7 \div 9 = 7 \times \frac{1}{9}$;   b) 50 % de 40 est égal à 40 % de 50.

8. Détermine le résultat des exponentiations suivantes.

   a) $\left(\frac{1}{5}\right)^2$ b) $\left(\frac{3}{4}\right)^4$ c) $\left(\frac{1}{2}\right)^6$ d) $\left(\frac{8}{9}\right)^2$

9. Dans une forêt, $\frac{2}{5}$ des arbres sont des conifères. Parmi les conifères, $\frac{2}{7}$ sont des sapins. Quelle fraction de la forêt les sapins représentent-ils?

10. RADIODIFFUSION Le CRTC (Conseil de la radiodiffusion et des télécommunications canadiennes) exige que 65 % des pièces de musique vocale diffusées sur les ondes d'une radio francophone soient francophones. De plus, 35 % de la musique doit être d'origine canadienne. Une station de radio francophone fait jouer 5 chansons par heure pendant 24 heures.

La première transmission par radio de la voix humaine a été effectuée en 1906 par Reginald Aubrey Fessenden. Ce scientifique, né au Québec, demeure méconnu malgré ses découvertes.

a) Illustre par un diagramme à bandes le nombre de chansons francophones et le nombre de chansons anglophones que cette station de radio devrait faire jouer en 24 heures.

b) Combien de chansons d'origine canadienne devrait-on faire jouer sur les ondes de cette station en 24 heures?

c) John, qui vient de Londres, s'étonne que la somme des pourcentages de la musique francophone et de celle d'origine canadienne soit de 100 %. Il se dit donc qu'il n'y aura jamais de chansons de son pays d'origine sur les ondes d'une radio francophone canadienne. A-t-il raison? Explique ta réponse.

11. Un commerçant annonce une vente de fin de saison où tout est réduit de 30 %. Quel est le montant du rabais sur un article dont le prix est de 120 $?

12. Sans effectuer les multiplications, place dans l'ordre croissant les expressions suivantes, selon leur produit.

$$\frac{3}{4} \times 2\frac{1}{2} \qquad 1\frac{5}{6} \times 2\frac{1}{2} \qquad \frac{7}{8} \times \frac{14}{15} \qquad \frac{1}{2} \times \frac{5}{6}$$

13. Il faut $2\frac{1}{5}$ h pour parcourir la distance entre Montréal et Québec en voiture. En avion, il faut le tiers de ce temps. Quelle fraction d'une heure faut-il pour parcourir la distance entre Montréal et Québec en avion?

14. Mikaël possède 200 disques compacts. Il échange les $\frac{3}{10}$ de ses disques compacts contre les $\frac{2}{7}$ des 350 disques compacts de Fabienne. Combien de disques compacts Mikaël aura-t-il après l'échange?

15. Ève s'intéresse aux précipitations dans sa région. Elle installe un bassin à l'extérieur de chez elle. À l'aide d'un contenant gradué, elle note après chaque précipitation la quantité d'eau accumulée dans ce bassin.

Station météorologique

Jour de précipitations	1	2	3	4	5	6	7	8	9	10
Quantité (contenants)	$2\frac{3}{5}$	4	$3\frac{9}{10}$	$3\frac{7}{10}$	$2\frac{4}{5}$	$3\frac{1}{5}$	$3\frac{4}{5}$	$3\frac{3}{10}$	$3\frac{4}{5}$	$3\frac{9}{10}$

   a) Quelle quantité d'eau, en contenants, est-il tombé en moyenne lors des dix dernières précipitations?

   b) L'année dernière, pour la même période, la moyenne des précipitations était inférieure de 10 %. Quelle était la moyenne des précipitations pour la même période l'année dernière?

   c) Le mois dernier, la moyenne des précipitations correspondait au double de la quantité tombée le 4e jour. Quelle était la moyenne du dernier mois?

16. À une fête d'Halloween, 70 % des gens présents étaient costumés. Parmi ceux-ci, les $\frac{2}{9}$ avaient un costume représentant un animal. Quelle fraction des gens présents avait un costume représentant un animal?

17. Mahée et Xavier ont chacun reçu leur argent de poche. Mahée a dépensé le quart du sien et Jocelyn, la moitié. Est-il possible que Mahée ait dépensé plus que Jocelyn? Explique ta réponse.

18. Les énoncés suivants sont-ils vrais ou faux? Explique tes réponses.

   a) $\frac{2}{3} \times \frac{2}{3} = \left(\frac{2}{3}\right)^2$ b) $\left(\frac{3}{4}\right)^3 = \frac{3^3}{4}$ c) $\left(\frac{4}{5}\right)^3 = \frac{4^3}{5^3}$ d) $\frac{5}{6^2} = \frac{5^2}{6}$

19. Du haut d'un édifice de 20 m, on laisse tomber une balle. Chaque fois que la balle rebondit, elle atteint une hauteur correspondant aux $\frac{2}{5}$ de la hauteur du bond précédent. Quelle hauteur atteint la balle au :

   a) premier bond?   b) deuxième bond?   c) cinquième bond?

20. Pour financer leur voyage en France afin de participer au championnat du monde, les membres d'une équipe de patinage synchronisé décident de vendre des oranges. Ils et elles ont vendu 300 caisses d'oranges à 6 $ chacune. Les $\frac{4}{9}$ de la recette ont été versés au fournisseur d'oranges.

   a) Quelle fraction de la recette l'équipe conserve-t-elle?

   b) Après qu'elle aura payé son fournisseur, combien d'argent restera-t-il à l'équipe?

21. À la naissance, un poulain mesure 60 % de sa taille adulte.

a) Si un cheval mesure 140 cm à l'âge adulte, quelle était sa taille à la naissance?

b) Estime le pourcentage de la taille adulte qu'a un bébé humain à la naissance.

22. Un élève déplace un point sur une droite numérique de la façon suivante :

- Il commence à zéro et il a pour but de se rendre à 1.

- Il déplace ce point sur une distance correspondant à la moitié de la distance entre 0 et 1 sur la droite numérique.

- Il part ensuite de cette nouvelle position sur la droite et déplace ce point sur une distance correspondant à la moitié de la distance entre cette nouvelle position et le 1.

- Il répétera ce scénario tant et aussi longtemps que ce point n'arrivera pas sur le 1.

Combien de fois devra-t-il répéter ce scénario pour arriver à 1 ?

ZOOM

① Par quel nombre dois-tu multiplier chacune des expressions suivantes pour obtenir l'élément neutre de la multiplication ?

a) 5   b) $\frac{1}{6}$ c) $\frac{3}{4}$ d) $2\frac{3}{7}$

② Lorsqu'on calcule le produit de deux nombres naturels, comme 2 × 3, le produit est supérieur à chacun des facteurs. Est-ce la même chose lorsqu'on multiplie des nombres écrits sous la forme de fractions? Pourquoi?

③ À quelle fraction irréductible correspond $33\frac{1}{3}$ %? Explique ta réponse.

④ On peut simplifier les fractions avant de les multiplier. Peut-on en faire autant avant de les additionner ou de les soustraire? Explique ta réponse.

PROJET
Cette unité t'aidera à réaliser les parties 2 et 3 de ton projet.

SITUATION-PROBLÈME **Le singe savant**

On installe un singe devant un clavier d'ordinateur ne comportant que 26 touches, soit les 26 lettres de l'alphabet.

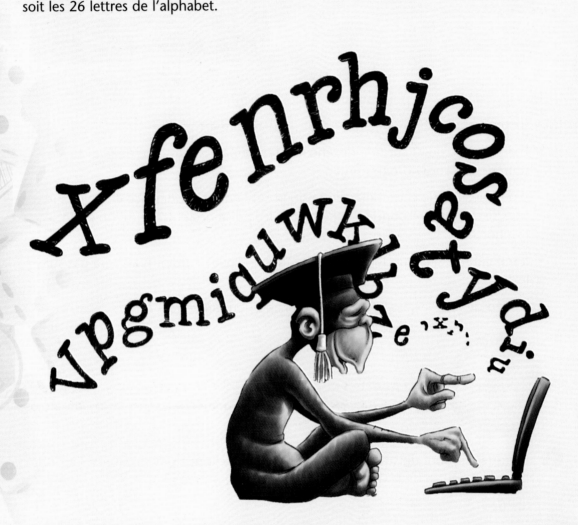

Quelle est la probabilité que le singe écrive du premier coup le mot « joie » ?

PISTES D'EXPLORATION...

- As-tu déterminé le nombre d'« expressions » possibles que le singe peut créer en tapant sur quatre touches au hasard ?

- Est-il possible de tracer un diagramme en arbre représentant cette situation ?

Prévisions météorologiques

Au cours de ses vacances de Noël, Lucie ira skier deux jours au mont Castor, à Matane. Elle adore skier lorsqu'il neige. Elle consulte donc le site d'Environnement Canada pour connaître les prévisions météorologiques. On y dit que la probabilité qu'il y ait des précipitations de neige est de 60 % pour la première journée et de 30 % pour la seconde.

a. Quelle est la probabilité qu'il ne neige pas :

   1) la première journée ?

   2) la seconde journée ?

b. Durant les deux journées de ski de Lucie, quelle est la probabilité :

   1) qu'il ne neige pas du tout ?

   2) qu'il neige les deux journées ?

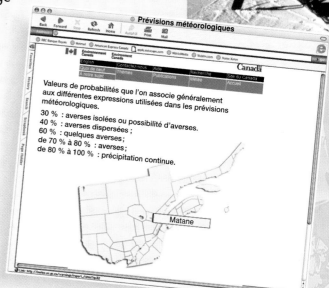

Calepin des savoirs

Expérience aléatoire à plusieurs étapes

Dans une expérience aléatoire à plusieurs étapes, la probabilité d'un événement est égale au **produit des probabilités** de chacun des événements intermédiaires à chacune des étapes qui forment cet événement.

Ex. : Dans un sac contenant 3 billes bleues, 4 rouges, 2 noires et 1 orange, la probabilité de l'événement « tirer une bille bleue suivie d'une bille rouge » se note :

- Si l'on remet la bille dans le sac après le premier tirage :

P(bleue suivie de rouge) = P(bleue) × P(rouge étant donné que l'on a pigé une bille bleue)

$$= \frac{3}{10} \times \frac{4}{10} = \frac{3}{10} \times \frac{2}{5} = \frac{3}{5} \times \frac{1}{5} = \frac{3}{25}$$

        On a remis la première bille dans le sac.

- Si l'on ne remet pas la bille dans le sac après le premier tirage :

P(bleue suivie de rouge) = P(bleue) × P(rouge étant donné que l'on a pigé une bille bleue)

$$= \frac{3}{10} \times \frac{4}{9} = \frac{3}{5} \times \frac{2}{9} = \frac{1}{5} \times \frac{2}{3} = \frac{2}{15}$$

        On n'a pas remis la première bille dans le sac.

1. On lance successivement deux dés dont les faces sont numérotées de 1 à 6. Quelle est la probabilité d'obtenir :

   a) un 2 au premier lancer ?

   b) un nombre pair au premier lancer ?

   c) un 2 suivi d'un 4 ?

   d) un nombre pair suivi d'un 3 ?

2. Tes parents ont déposé plusieurs chocolats dans ton bas de Noël ; tous ont la forme d'une boule de Noël et sont de même dimension :

   • trois sont au caramel ;

   • deux au beurre d'arachide ;

   • huit au chocolat noir ;

   • cinq à la menthe.

   Tu tires au hasard trois chocolats l'un après l'autre sans les remettre dans le sac. Détermine la probabilité que :

   La menthe est aujourd'hui très utilisée en cuisine. Mais historiquement, ce sont ses propriétés médicinales que l'on recherchait. La menthe décongestionne les voies respiratoires et favorise la digestion.

   a) les trois chocolats soient au caramel ;

   b) le premier chocolat soit au beurre d'arachide, le deuxième, au chocolat noir, et le troisième, à la menthe ;

   c) les deux premiers chocolats soient au beurre d'arachide et que le troisième soit au chocolat noir.

3. On lance un dé à six faces et on tire une carte d'un jeu de 52 cartes. Quelle est la probabilité d'obtenir :

   a) 5 sur le dé et une carte rouge ?

   b) un diviseur de 6 sur le dé et un as ?

   c) 3 sur le dé et le 7 de cœur ?

   d) un nombre impair sur le dé et une figure sur la carte ?

   Dans un jeu de cartes, les valets, les dames et les rois sont appelés des « figures ».

4. On lance une pièce de monnaie trois fois de suite. Quelle est la probabilité d'obtenir :

   a) trois fois pile ?

   b) deux fois pile suivi de face ?

5. On lance 10 fois une pièce de monnaie. Laquelle des séquences suivantes a le plus de chances de se produire si P signifie « pile » et F, « face » ? Explique ta réponse.

   | A PPFPPPPPPP | B PFFPPPFPFF | C FFFFFPPPPP | D PFPFPFPFPF |

6. Un cadenas à numéros a sept chiffres. La combinaison pour l'ouvrir est composée d'un code de trois chiffres et le même chiffre peut se répéter deux ou même trois fois dans la combinaison. En choisissant les numéros au hasard, quelle est la probabilité que tu l'ouvres du premier coup sans connaître la combinaison?

7. Une élève décide de choisir au hasard une réponse parmi 4 à chacune des 5 questions d'un examen à choix multiples. Chacune des questions vaut le même nombre de points. Quelle est la probabilité qu'elle obtienne 100 % à cet examen?

8. Quelle est la probabilité qu'une personne partant de la ville **A** et voulant se rendre à la ville **C** emprunte au hasard :

   a) la route 1 suivie de la route 5?

   b) deux routes dont la somme des numéros est paire?

   c) deux routes dont le numéro est pair?

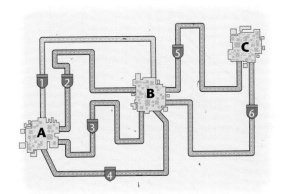

9. Yves a dans sa garde-robe **4** chandails noirs, **3** chandails blancs, **2** chandails rouges et **1** chandail bleu. Il a également **6** pantalons dont **2** noirs, 2 gris, 1 bleu et 1 kaki. S'il choisit au hasard un chandail et un pantalon, quelle est la probabilité qu'il porte :

   a) un chandail noir et un pantalon gris?

   b) un chandail bleu et un pantalon bleu?

   c) un chandail et un pantalon d'une autre couleur que le noir?

10. Camille s'entraîne au patinage artistique depuis quelques années. Elle a remarqué qu'elle réussit 70 % de ses axels en compétition. Dans sa chorégraphie, elle doit exécuter trois axels.

   a) Quelle est la probabilité qu'elle manque ces trois axels lors de sa prochaine compétition?

   b) Énumère deux facteurs qui peuvent faire varier ses résultats.

L'axel est un saut où le patineur ou la patineuse effectue un tour et demi dans les airs. C'est le seul saut où l'on s'élance vers l'avant.

11. On lance deux fois un dé à six faces. Le résultat obtenu au premier lancer représente le numérateur d'une fraction et celui obtenu au second lancer représente le dénominateur.

a) Quel est l'univers des résultats possibles?

b) Quelle est la probabilité que la fraction soit :

1) irréductible?　　　　2) égale à 1?　　　　3) supérieure à 1?

12. Un sac contient 12 billes. Il y a 5 billes roses, 4 billes mauves et 3 billes vertes.

a) On tire une première bille, puis on la remet dans le sac et on tire une deuxième bille. Calcule :

1) *P*(mauve suivie de rose)　　　　2) *P*(rose suivie de mauve)

3) *P*(mauve suivie de verte)　　　　4) *P*(rose suivie de rose)

b) On tire une première bille et on ne la remet pas dans le sac. On tire ensuite une deuxième bille. Calcule :

1) *P*(mauve suivie de rose)　　　　2) *P*(rose suivie de mauve)

3) *P*(mauve suivie de verte)　　　　4) *P*(rose suivie de rose)

13. Shan observe la couleur des véhicules qui passent devant chez lui. Voici les résultats de ses observations :

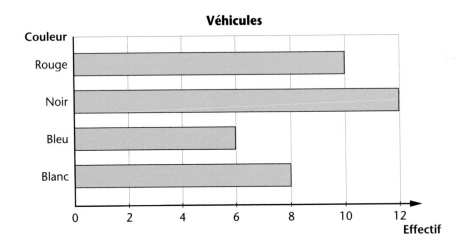

a) À l'aide de ces observations, détermine la probabilité que le prochain véhicule qui passe devant chez lui soit rouge.

b) La probabilité trouvée en **a)** est-elle fréquentielle ou théorique?

c) Quelle est la probabilité que le prochain véhicule soit bleu, le deuxième, blanc, et le troisième, noir?

14. On réalise une expérience aléatoire à trois étapes. On tire d'abord une bille d'un sac qui contient des billes bleues, rouges et jaunes. On lance ensuite une pièce de monnaie truquée et, finalement, on lance un dé truqué à quatre faces. L'arbre des probabilités ci-contre indique la probabilité associée à chacun des événements de chacune des étapes.

a) Quel est l'événement :
1) le plus probable ?
2) le moins probable ?

b) À l'aide de ces informations, détermine la probabilité d'obtenir :
1) une bille bleue suivie de pile et de 2 sur le dé ;
2) une bille rouge suivie de face et de 1 sur le dé.

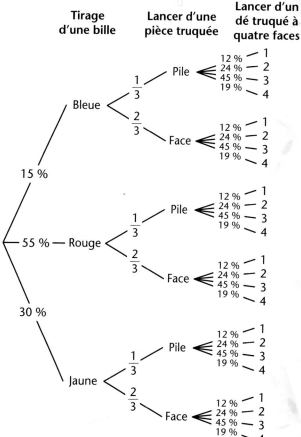

15. CODES POSTAUX Au Canada, les codes postaux sont toujours composés de six caractères. On suppose que l'on peut utiliser toutes les lettres de l'alphabet et tous les chiffres de 1 à 9 pour créer un code postal de la forme

> lettre – chiffre – lettre   chiffre – lettre – chiffre.

Détermine la probabilité, si l'on forme un code postal au hasard, d'obtenir H6F 2V5.

Postes Canada a divisé le Canada en 128 régions. Les trois premiers caractères du code postal servent à identifier la région.

16. Combien de temps te faudrait-il pour écrire toutes les combinaisons possibles d'un tirage aléatoire de 6 nombres parmi 10 si la combinaison gagnante ne peut avoir deux nombres identiques et si l'ordre est important ? Donne ta réponse en heures.

Écrivez votre combinaison

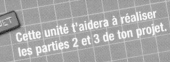

Cette unité t'aidera à réaliser les parties 2 et 3 de ton projet.

Unité 5.7 Des inverses pour diviser

SITUATION-PROBLÈME **L'épandage de sel et d'abrasifs**

L'hiver, plusieurs épandeuses sillonnent les routes pour déverser un mélange de sel et d'abrasifs.

Selon son chargement et la quantité de mélange déversé en moyenne par minute, une épandeuse peut couvrir un trajet plus ou moins grand.

On veut déverser du sel et des abrasifs sur une autoroute. Voici les épandeuses disponibles :

Le ministère du Développement durable, de l'Environnement et des Parcs a réglementé l'épandage de sel et d'abrasifs ainsi que la localisation des dépôts de neige afin de protéger les sols, la végétation, les cours d'eau et les eaux souterraines.

Épandeuses disponibles

Épandeuse	Capacité de l'épandeuse (tonnes)	Quantité de sel et d'abrasifs déversés en moyenne par minute (tonnes)
A	40	2
B	10	$\frac{1}{2}$
C	10	$\frac{1}{8}$
D	20	$\frac{1}{8}$
E	20	$\frac{3}{8}$
F	20	$\frac{5}{8}$
G	30	$\frac{5}{8}$
H	30	$\frac{5}{16}$

Quelle épandeuse devrait-on choisir pour déverser du sel pendant 70 min sans avoir à la recharger et en ayant en tête la protection de l'environnement ?

PISTES D'EXPLORATION...

▪ As-tu représenté la situation par un dessin ?

▪ As-tu déterminé le nombre de kilomètres que chaque épandeuse peut couvrir ?

La production laitière

Une vache ne produit du lait que pendant
les 10 mois qui suivent la naissance de son veau.
Observe le tableau ci-dessous.

Pour une alimentation saine et
variée, le *Guide alimentaire canadien*
recommande de consommer de 2 à
4 portions de produits laitiers par
jour. Une portion équivaut à 250 mL
de lait, à 175 mL de yogourt ou à
50 g de fromage.

**Production annuelle
d'une vache laitière**

Mois	Quantité de lait (citernes)
Janvier	1
Février	$\frac{9}{10}$
Mars	$\frac{17}{20}$
Avril	$\frac{3}{4}$
Mai	$\frac{5}{8}$
Juin	$\frac{7}{10}$
Juillet	$\frac{3}{5}$
Août	$\frac{13}{20}$
Septembre	$\frac{1}{2}$
Octobre	$\frac{2}{5}$

a. Pendant quel mois de l'année cette vache
a-t-elle été la plus productive?

b. On a besoin des $\frac{3}{100}$ d'une citerne de lait
pour fabriquer 1 kg de fromage. Combien
de kilogrammes de fromage peut-on fabriquer
si l'on utilise :

1) tout le lait produit au mois de février?

2) tout le lait produit au mois de juillet?

3) la moitié du lait produit au mois
de septembre?

4) les trois quarts du lait produit au mois
de juin?

c. Pendant ces 10 mois, quelle a été
la production mensuelle moyenne de
cette vache laitière?

La Holstein est
la vache la plus
répandue au Canada.
Elle représente 90 %
du cheptel canadien.
Une bonne vache
laitière peut combler
les besoins annuels
de 100 personnes
en lait et
en produits laitiers.

Généralement, dans la notation exponentielle, les exposants sont des nombres naturels. Qu'arrive-t-il si les exposants sont des nombres entiers négatifs ?

a. Dans les séquences ci-dessous, par quel nombre faut-il multiplier ou diviser une puissance pour obtenir celle de la ligne suivante ?

b. Ajoute quatre lignes aux séquences **1** et **2** en conservant la régularité.

c. Associe chaque expression de la séquence **1** à une expression de la séquence **2** ayant le même résultat. Que remarques-tu ?

d. À partir de tes observations, déduis les résultats suivants.

1) 3^{-2} 2) $\left(\dfrac{1}{5}\right)^{-3}$ 3) $\left(\dfrac{4}{5}\right)^{-2}$

Séquence 1

$2^3 = 8$ $\Big)\div$ ▬

$2^2 = 4$ $\Big)\div$ ▬

$2^1 = 2$ $\Big)\div$ ▬

$2^0 = ?$ $\Big)\div$ ▬

$2^{-1} = ?$ $\Big)\div$ ▬

$2^{-2} = ?$ $\Big)\div$ ▬

$2^{-3} = ?$

Séquence 2

$\left(\dfrac{1}{2}\right)^3 = \dfrac{1}{8}$ $\Big)\times$ ▬

$\left(\dfrac{1}{2}\right)^2 = \dfrac{1}{4}$ $\Big)\times$ ▬

$\left(\dfrac{1}{2}\right)^1 = \dfrac{1}{2}$ $\Big)\times$ ▬

$\left(\dfrac{1}{2}\right)^0 = ?$ $\Big)\times$ ▬

$\left(\dfrac{1}{2}\right)^{-1} = ?$ $\Big)\times$ ▬

$\left(\dfrac{1}{2}\right)^{-2} = ?$ $\Big)\times$ ▬

$\left(\dfrac{1}{2}\right)^{-3} = ?$

Calepin des **savoirs**

Inverse d'une fraction

Une **fraction** est l'**inverse d'une autre** si leur **produit** est **1**.

Ex. : $\dfrac{5}{6}$ est l'inverse de $\dfrac{6}{5}$ car $\dfrac{5}{6} \times \dfrac{6}{5} = 1$.

Division

Pour effectuer une **division de nombres écrits sous la forme de fractions,** on multiplie la première fraction par l'inverse de la seconde.

Ex. : $\dfrac{5}{6} \div \boxed{\dfrac{7}{11}} = \dfrac{5}{6} \times \boxed{\dfrac{11}{7}} = \dfrac{5 \times 11}{6 \times 7} = \dfrac{55}{42}$ ou $1\dfrac{13}{42}$

Inverses

Lorsqu'une division comporte des nombres fractionnaires, il est préférable de les transformer en fractions avant d'effectuer le calcul.

Ex. : $3\dfrac{2}{5} \div 2\dfrac{4}{7} = \dfrac{17}{5} \div \dfrac{18}{7} = \dfrac{17}{5} \times \dfrac{7}{18} = \dfrac{119}{90}$ ou $1\dfrac{29}{90}$

Exposants entiers

Le résultat d'une exponentiation dont l'**exposant** est un nombre **négatif** est l'**inverse** du résultat de la même exponentiation dont l'**exposant** est un nombre **positif**.

Ex. : 1) $5^{-2} = \left(\dfrac{1}{5}\right)^2 = \dfrac{1}{25}$ 2) $\left(\dfrac{2}{7}\right)^{-3} = \left(\dfrac{7}{2}\right)^3 = \dfrac{343}{8}$

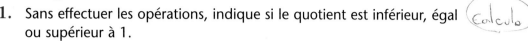

Coup d'œil

1. Sans effectuer les opérations, indique si le quotient est inférieur, égal ou supérieur à 1.

   a) $\dfrac{17}{5} \div 3\dfrac{2}{5}$

   b) $\dfrac{7}{8} \div \dfrac{1}{2}$

   c) $4\dfrac{1}{5} \div 5\dfrac{2}{7}$

   d) $\dfrac{5}{7} \div \dfrac{2}{5}$

2. Dans chaque cas, estime le résultat.

   Ex. : $6\dfrac{1}{8} \div 2\dfrac{4}{5} \approx 6 \div 3 = 2$

   a) $3\dfrac{5}{7} \div 2\dfrac{2}{9}$

   b) $8\dfrac{4}{7} \div \dfrac{1}{2}$

   c) $15\dfrac{2}{11} \div 5\dfrac{1}{6}$

   d) $\dfrac{47}{7} \div \dfrac{43}{7}$

3. Donne l'inverse de chacun des nombres suivants.

   a) $\dfrac{3}{4}$

   b) $\dfrac{1}{9}$

   c) 12

   d) 1

4. a) Quelle est la distinction entre l'opposé d'un nombre et l'inverse d'un nombre ? Donne un exemple pour illustrer cette distinction.

   b) Détermine l'inverse et l'opposé de $\dfrac{-3}{5}$.

5. Dans chaque cas, calcule le quotient.

   a) $400 \div \dfrac{1}{2}$

   b) $\dfrac{5}{6} \div 5$

   c) $100 \div \dfrac{2}{5}$

   d) $\dfrac{7}{8} \div \dfrac{7}{9}$

   e) $\dfrac{12}{25} \div \dfrac{4}{15}$

   f) $\dfrac{8}{9} \div \dfrac{9}{8}$

   g) $5\dfrac{4}{9} \div 1\dfrac{17}{18}$

   h) $\dfrac{27}{11} \div \dfrac{9}{5}$

   i) $42\% \div \dfrac{7}{8}$

   j) $120\% \div 25\%$

   k) $\dfrac{12}{5} \div 24\%$

   l) $8 \div 8\%$

6. Combien y a-t-il de :

   a) $\dfrac{1}{4}$ dans 12 unités ?

   b) trois onzièmes dans $\dfrac{15}{22}$?

7. Benoît vient d'acheter une boîte de 20 biscuits pour son chien. On indique sur la boîte de ne pas lui donner plus de $1\dfrac{1}{3}$ biscuit par jour. Si Benoît décide de donner chaque jour la quantité maximale de biscuits à son chien, dans combien de jours lui aura-t-il donné tous les biscuits ?

Le chihuahua est la plus petite espèce de chien de race. Il pèse de 1 à 3 kg. Ironiquement, son nom lui vient du plus grand État du Mexique, où il a été découvert.

8. On partage 22 tartes aux pommes de façon égale entre les personnes invitées. Combien y a-t-il de personnes invitées si chacune reçoit les $\frac{2}{5}$ d'une tarte aux pommes?

9. Une course de relais est effectuée par étapes, chacune représentant les $\frac{3}{8}$ d'un tour de piste. Chaque athlète ne court qu'une étape. Écris l'opération à effectuer pour calculer le nombre d'athlètes qu'il faudra pour parcourir une distance totale de $4\frac{1}{2}$ tours de piste.

10. EMPLOI En 2003, le salaire moyen d'un boucher ou d'une bouchère était de 87 $ pour $7\frac{1}{2}$ h de travail. Quel était le salaire horaire moyen d'un boucher ou d'une bouchère en 2003?

11. Les énoncés suivants sont-ils justes? Explique tes réponses.

a) $\left(\frac{15}{24} \div \frac{1}{2}\right) \div \frac{1}{3} = \frac{15}{24} \div \left(\frac{1}{2} \div \frac{1}{3}\right)$

b) $\frac{5}{18} \div \frac{7}{9} = \frac{7}{9} \div \frac{5}{18}$

c) $\frac{57}{20} \times 4 \div 3 = \frac{57}{20} \times \frac{4}{3}$

d) $\frac{57}{20} \div 3 \times 4 = \frac{57}{20} \times \frac{4}{3}$

e) $2^{-5} \times 2^{5} = 1$

f) $5\frac{3}{7}$ et $5\frac{7}{3}$ sont des fractions inverses.

12. Calcule les puissances suivantes.

a) 4^{-2} b) 8^{-2} c) $\left(\frac{3}{4}\right)^{-3}$ d) $\left(\frac{7}{3}\right)^{-2}$ e) 1^{-8}

13. Donne deux fractions, différentes de 1, dont le quotient est :

a) $\frac{22}{25}$ b) $\frac{9}{5}$

14. Pour ses bricolages, Sébastien dispose de plusieurs bâtonnets de bois identiques. Combien d'objets ayant la forme illustrée ci-contre pourra-t-il construire s'il possède :

a) $13\frac{1}{2}$ bâtonnets de bois?

b) au moins 16 bâtonnets de bois?

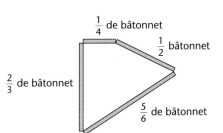

$\frac{1}{4}$ de bâtonnet

$\frac{1}{2}$ bâtonnet

$\frac{2}{3}$ de bâtonnet

$\frac{5}{6}$ de bâtonnet

Les côtés peuvent être formés de plusieurs petits morceaux de bâtonnet.

15. Puisque $\frac{1}{5} \div \frac{2}{7} = \frac{7}{10}$, alors $\frac{1}{5} \div \frac{4}{7}$ donne :

A deux fois plus que $\frac{7}{10}$ B $\frac{4}{7}$ de $\frac{7}{10}$ C $\frac{7}{4}$ de $\frac{7}{10}$ D le demi de $\frac{7}{10}$

16. On a brisé une règle aux $\frac{5}{7}$ de sa longueur. On a ensuite brisé la partie la plus courte en 3 parties d'égale longueur. Quelle fraction de la règle représente l'une de ces trois parties?

17. On doit verser $15\frac{1}{2}$ tasses de jus dans des verres pouvant contenir $\frac{1}{4}$ de tasse. Combien de verres pourra-t-on remplir?

18. Durant le cours de sciences, chaque élève a semé des graines dans un pot. Les pots contiennent tous la même quantité de terre. Il y a 30 élèves dans cette classe et on a réparti également $8\frac{3}{7}$ sacs de terre. Marilène décide de reproduire l'expérience chez elle avec 7 pots identiques à ceux utilisés en classe. De combien de sacs de terre aura-t-elle besoin?

19. Détermine la fraction représentant le nombre situé au milieu des deux fractions indiquées.

a)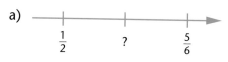

$$\frac{1}{2} \qquad ? \qquad \frac{5}{6}$$

b)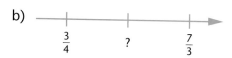

$$\frac{3}{4} \qquad ? \qquad \frac{7}{3}$$

20. Un homme peut peindre le sixième d'une pièce en une heure alors que sa collègue peut peindre le quart de la même pièce en une heure. Combien de minutes prendront-ils pour peindre cette pièce s'ils travaillent ensemble?

1 Soit la division $\frac{5}{8} \div \frac{a}{b}$. Complète les phrases à l'aide des expressions suivantes : «plus petite que», «égale à» ou «plus grande que».

  a) Si le quotient est supérieur à 1, alors $\frac{a}{b}$ est ⬜ $\frac{5}{8}$.

  b) Si le quotient est égal à 1, alors $\frac{a}{b}$ est ⬜ $\frac{5}{8}$.

2 Comment le quotient varie-t-il si une fraction positive est divisée par une fraction positive qui est

  1) de plus en plus petite?   2) de plus en plus grande?

3 Pour diviser un nombre par une fraction, il suffit de multiplier ce nombre par l'inverse de la fraction. Est-ce aussi vrai si l'on effectue une division avec deux nombres naturels? Donne deux exemples pour justifier ta réponse.

4 Anne-Sophie affirme qu'elle a trouvé un moyen plus simple pour effectuer la division de deux fractions. Voici ce qu'elle fait : $\frac{8}{15} \div \frac{2}{5} = \frac{8 \div 2}{15 \div 5} = \frac{4}{3}$. Qu'en penses-tu?

5 Quel exposant pourrait-on donner à 2 pour obtenir un nombre négatif?

Société des maths

Les fractions dans la civilisation égyptienne

Dans la civilisation égyptienne, on n'utilisait que des fractions unitaires, c'est-à-dire dont le numérateur est 1. Les symboles utilisés se résumaient à un certain nombre de traits, représentant le dénominateur, surmontés d'un ovale.

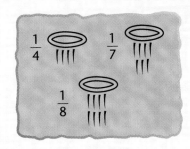

En 1201, Leonardo Fibonacci, dit Léonard de Pise, prouva que toute fraction $\frac{a}{b}$ pouvait s'écrire sous la forme d'une somme de fractions à numérateur unitaire.

De nos jours, il existe plusieurs méthodes pour transformer une fraction qui n'est pas unitaire en une somme de fractions unitaires. Voici un exemple avec $\frac{6}{35}$. On doit trouver la plus grande fraction unitaire inférieure à $\frac{6}{35}$. Il s'agit de $\frac{1}{6}$. Donc, $\frac{6}{35} = \frac{1}{6} + \frac{1}{?}$.

Par soustraction, on détermine que $\frac{1}{?} = \frac{6}{35} - \frac{1}{6} = \frac{1}{210}$, donc $\frac{6}{35} = \frac{1}{6} + \frac{1}{210}$.

L'une des écritures égyptiennes possibles pour $\frac{6}{35}$ est donc ⨋ ⋀ ⨋, qui signifie $\frac{1}{6} + \frac{1}{210}$.

Dans la somme, les fractions unitaires doivent toutes être différentes.

Histoire du papyrus de Rhind

Le papyrus est l'un des plus vieux matériaux employés pour l'écriture; il est à l'origine du mot «papier». Le papyrus de Rhind fut écrit vers 1650 av. J.-C. par un scribe égyptien du nom de Ahmes. Le papyrus de Rhind a été découvert dans les ruines de l'ancienne ville de Thèbes, en Égypte. Son nom lui vient d'un antiquaire écossais devenu égyptologue, Alexander Henry Rhind, qui acheta le papyrus en 1858. Il s'agit du plus ancien document connu destiné à l'enseignement de l'arithmétique, et la principale source d'information sur la mathématique égyptienne. Il est conservé au British Museum de Londres depuis 1863.

Un scribe égyptien.

On trouve au recto du papyrus de Rhind une table montrant, à l'aide de fractions unitaires, le résultat de la division du nombre 2 par les nombres impairs de 3 à 99.

Extrait de la table du papyrus de Rhind

$$2 \div 3 = \frac{1}{2} + \frac{1}{6} \quad 2 \div 5 = \frac{1}{3} + \frac{1}{15} \quad 2 \div 7 = \frac{1}{4} + \frac{1}{28} \ldots$$

Le verso présente 87 problèmes résolus portant sur la décomposition en fractions unitaires, les quatre opérations, la résolution d'équations, l'arpentage et la géométrie.

Le papyrus de Rhind

L'œil du dieu Horus

Le dieu Horus, représenté sous la forme d'un homme à tête de faucon, était le dieu du ciel. Ses yeux symbolisaient le soleil et la lune. La légende veut que Thot, le dieu comptable, lorsqu'il reconstitua l'œil qu'Horus avait perdu lors d'un combat, accorda une valeur à chacun des six morceaux. Ces fractions symbolisaient les fractions du *hékat,* une unité de mesure de capacité qu'on utilisait pour les céréales, les agrumes et les liquides. Un *hékat* valait un peu moins de 5 L.

Les « fractions égyptiennes » de nos jours

Les fractions égyptiennes rendent les comparaisons de fractions plus simples. Par exemple, si l'on veut savoir quelle fraction est la plus grande, $\frac{3}{4}$ ou $\frac{4}{5}$, on peut utiliser les fractions égyptiennes, et la réponse est immédiate : $\frac{3}{4} = \frac{1}{2} + \frac{1}{4}$

$$\frac{4}{5} = \frac{1}{2} + \frac{1}{4} + \frac{1}{20}$$

Les fractions égyptiennes aident aussi à représenter les situations de partage. Imagine qu'un Égyptien désire partager 5 tablettes d'argile entre 8 personnes. Il procéderait ainsi : chacune recevrait $\frac{1}{2}$ tablette, laissant ainsi intacte la dernière tablette. Celle-ci serait séparée en 8 parties égales. Chaque personne recevrait donc $\frac{1}{2} + \frac{1}{8}$ de tablette, soit $\frac{5}{8}$ de tablette.

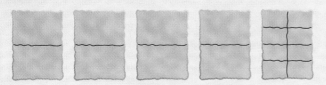

À TOI DE JOUER

1 Quelle est la somme de toutes les fractions de l'œil d'Horus ?

2 Dans l'œil d'Horus, environ combien de litres la cornée de gauche représente-t-elle ?

3 Écris les fractions suivantes comme une somme de fractions égyptiennes.

a) $\frac{5}{6}$ b) $\frac{5}{16}$ c) $\frac{2}{9}$

4 À l'aide d'un dessin, illustre le partage à l'égyptienne de 3 tablettes d'argile entre 5 personnes.

À TOI DE CHERCHER

5 Comment fabriquait-on le papyrus ?

6 Comment, en Égypte, justifiait-on le fait que la somme des fractions de l'œil d'Horus n'était pas 1 ?

Une profession controversée

Le clonage et les OGM (organismes génétiquement modifiés) sont deux sujets qui soulèvent beaucoup de questions dans notre société. Certaines personnes prônent leur utilisation pour éventuellement guérir des maladies jusqu'ici incurables alors que d'autres affirment que de telles manipulations sont contre nature. Les généticiens et les généticiennes sont souvent partagés entre le désir de faire avancer la science et les questions morales qui s'y rattachent.

Johann Gregor Mendel (1822-1884). Reconnu comme le père fondateur de la génétique humaine, il a introduit le calcul des probabilités en biologie.

C'est Nettie Maria Stevens (1861-1912), une biologiste américaine, qui a découvert, en 1905, que les chromosomes X et Y déterminent le sexe chez l'être humain.

Une profession d'avenir

Les généticiens et les généticiennes sont des spécialistes de la biologie moléculaire qui tentent de comprendre et d'expliquer les phénomènes d'hérédité chez les êtres vivants (humains, animaux ou végétaux). Ils et elles travaillent en laboratoire dans cinq secteurs particuliers : la santé, l'agroalimentaire, l'aquaculture, la foresterie et l'environnement. Le Québec est un acteur très important dans le domaine de la génétique et les entreprises spécialisées auront un grand besoin de scientifiques dans les années à venir. Ces scientifiques tentent d'identifier les gènes défectueux chez des êtres malades, de créer un médicament ou un traitement qui agira directement sur ces gènes afin de vaincre la maladie.

La molécule d'ADN ressemble à une échelle torsadée. L'ADN est le support de l'information génétique. Une erreur dans cet enchaînement peut entraîner une maladie.

L'hérédité

Toutes les cellules du corps humain possèdent 46 chromosomes (éléments de la cellule contenant les gènes). La moitié proviennent du père et l'autre moitié, de la mère. Sur les 23 paires de chromosomes, une seule détermine le sexe.

- Pour une femme, cette paire de chromosomes est XX.

- Pour un homme, cette paire de chromosomes est XY.

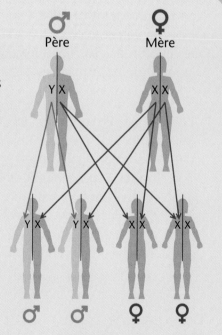

Figure 1. Transmission du matériel génétique

12. Natalie a travaillé 5 jours par semaine pendant 6 semaines à raison de $7\frac{1}{2}$ h par jour. Son salaire horaire était de 8 \$. Avec les $\frac{7}{9}$ de son revenu, elle s'est acheté un ordinateur. Détermine le coût de son ordinateur.

13. Isabelle a mis 5 disques compacts comportant chacun 18 chansons sur sa chaîne stéréo. Elle choisit la fonction *random,* qui signifie « aléatoire ». Quelle est la probabilité que la première chanson jouée soit la deuxième du deuxième disque compact et que la suivante soit la quatrième du cinquième disque compact si :

   a) la même chanson ne joue jamais deux fois ?

   b) la même chanson peut jouer deux fois ?

14. Robert veut s'acheter un nouveau véhicule. Il hésite entre une voiture et un camion. Il hésite aussi quant au choix de la couleur entre le rouge, le blanc, le noir et l'argent.

   a) Représente tous les choix possibles à l'aide d'une grille.

   b) Si Robert choisit au hasard son véhicule, quelle est la probabilité :

      1) qu'il achète une voiture plutôt qu'un camion ?

      2) que son véhicule soit rouge ?

      3) qu'il achète un camion noir ?

15. Le diagramme à bandes ci-contre illustre la couleur naturelle des cheveux des élèves d'une classe de première secondaire.

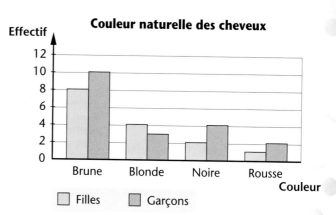

   a) Si l'on choisit au hasard une personne dans cette classe, quelle est la probabilité qu'elle ait les cheveux blonds ?

   b) On choisit aléatoirement deux élèves dans cette classe. Quelle est la probabilité que la première personne choisie soit un garçon et la seconde, une fille ?

16. Une boîte de chocolats contient 7 truffes, 5 chocolats au caramel, 6 chocolats noirs et 2 chocolats aux arachides.

a) Quelle est la probabilité, si on tire au hasard un chocolat, de prendre un chocolat au caramel ou aux arachides ?

b) Quelle est la probabilité, si on tire deux chocolats, de prendre deux truffes ?

17. À la foire, on peut jouer à la roulette chanceuse. Il en coûte 5 $ pour tourner la roulette une fois. On gagne le montant inscrit dans le secteur où pointe la flèche.

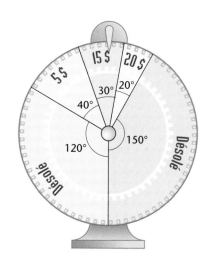

a) Quelle est la probabilité de gagner plus que la mise initiale ?

b) Si l'on tourne la roue deux fois, quelle est la probabilité de gagner deux fois 20 $?

18. Un sac contient 9 billes bleues, 5 billes rouges et 4 billes vertes.

a) Décris un événement certain lors d'un tirage dans ce sac.

b) Décris un événement probable lors d'un tirage dans ce sac.

c) Si l'on tire 36 billes l'une après l'autre en remettant chaque fois la bille dans le sac, combien de billes rouges devrait-on tirer, théoriquement ?

d) On obtient une bille bleue au premier tirage et on ne la remet pas dans le sac. Au deuxième tirage, la probabilité est-elle plus grande, égale ou plus petite, comparativement à celle du premier tirage, d'obtenir :

1) une bille bleue ?
2) une bille verte ?

19. Une somme de 40 000 $ doit être partagée entre 4 personnes de la façon suivante : la première personne reçoit les $\frac{2}{5}$ du montant, la deuxième touche les $\frac{3}{8}$ du reste, la troisième, les $\frac{2}{3}$ du deuxième reste et la quatrième reçoit le reste. Quelle somme d'argent chacune de ces personnes recevra-t-elle ?

20. Place dans l'ordre croissant les probabilités que les événements suivants se réalisent.

> **A** Ton lecteur de disques compacts te permet de faire jouer les 15 chansons d'un disque de façon aléatoire. Quelle est la probabilité que ta chanson favorite sur ce disque joue en premier ?
>
> **B** Observe le jeu de fléchettes ci-contre. On suppose qu'on touche la cible carrée à tous les coups et l'on s'intéresse à la probabilité d'atteindre la partie bleue de la cible au premier lancer.
>
>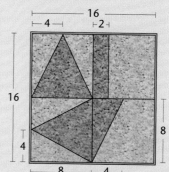
>
> **C** On évalue la probabilité de choisir une mauvaise réponse à une question à choix multiples où cinq réponses sont proposées et une seule est vraie.
>
> **D** On lance un dé à six faces et l'on veut connaître la probabilité d'obtenir 3.
>
> **E** Selon Environnement Canada, la probabilité d'averses de neige demain est de 40 %. On s'intéresse à la probabilité qu'il neige demain.

21. On tire une bille aléatoirement d'un sac qui contient des billes jaunes, bleues, rouges et vertes. On répète cette expérience plusieurs fois, en remettant chaque fois la bille dans le sac. Les résultats de cette expérience sont représentés par le diagramme à bandes ci-dessous.

a) Quelle est la probabilité qu'au prochain tirage, la bille soit bleue ?

b) Exprime en pourcentage la probabilité de tirer une bille verte.

c) Si l'on répète l'expérience 85 fois, combien de billes rouges peut-on espérer obtenir ?

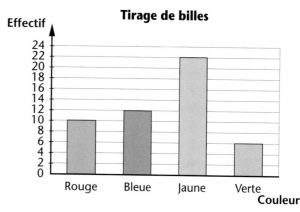

d) Sachant qu'il y a 30 billes dans le sac, estime le nombre de billes de chaque couleur à partir des expériences réalisées.

22. La moyenne d'un groupe de 18 élèves à un examen de mathématiques est de 83 %. Un 19ᵉ élève a dû passer l'examen après les autres. En tenant compte de son résultat, la moyenne a baissé de 1 %. Quel est le résultat de ce dernier élève?

23. DALTONISME Le daltonisme est une anomalie héréditaire de la vision des couleurs.

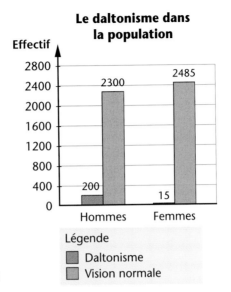

Le daltonisme dans la population

Effectif

2300, 2485, 200, 15

Hommes Femmes

Légende
- Daltonisme
- Vision normale

a) À l'aide du diagramme à bandes ci-contre, détermine le pourcentage d'hommes qui sont touchés par le daltonisme.

b) Quelle est la probabilité que ton père et ta mère soient daltoniens?

c) Sur 4000 femmes, combien devraient être daltoniennes?

d) Estime le nombre de daltoniens et de daltoniennes que l'on peut s'attendre à trouver dans ta classe.

Cette anomalie est causée par un chromosome X « défectueux ». Elle se trouve surtout chez les hommes, car les femmes possèdent deux chromosomes X, et l'un des deux peut compenser la dysfonction de celui qui est défectueux. L'homme n'en possède qu'un seul : s'il y a anomalie sur ce dernier, l'homme est automatiquement daltonien.

24. Lors d'une sortie de planche à neige au mont Tremblant, quatre amis utilisent le télésiège quadruple. Pour atteindre le sommet, le télésiège parcours 1200 m à une vitesse de 5 m/s. La dénivellation est de 645 m. La descente prend en moyenne 12 min et il n'y a que 5 min d'attente pour prendre le télésiège. Les quatre amis se fixent comme objectif de ne jamais s'asseoir dans le même ordre dans le télésiège. S'ils disposent de 6 h, pourront-ils épuiser toutes les possibilités avant la fin de la journée? Explique ta réponse.

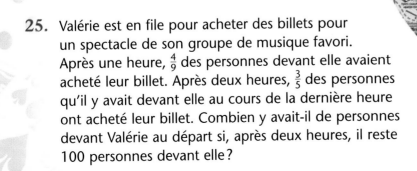

25. Valérie est en file pour acheter des billets pour un spectacle de son groupe de musique favori. Après une heure, $\frac{4}{9}$ des personnes devant elle avaient acheté leur billet. Après deux heures, $\frac{3}{5}$ des personnes qu'il y avait devant elle au cours de la dernière heure ont acheté leur billet. Combien y avait-il de personnes devant Valérie au départ si, après deux heures, il reste 100 personnes devant elle?

Panorama

6

De la notation décimale au système international d'unités

Que ce soit pour exprimer la distance qui sépare ta maison de l'école, ta masse, ta taille ou la somme d'argent que tu as dans tes poches, tu utilises tous les jours des nombres décimaux et des unités de mesure. Mais au fait, dans l'histoire, les nombres décimaux ont-ils été utilisés avant les fractions ? D'où vient le mètre ? Quels sont les autres systèmes de mesures qui existent ? Tu découvriras, dans ce panorama, l'histoire du système décimal et de notre système d'unités de mesure. Tu travailleras avec des nombres écrits en notation décimale pour effectuer des calculs et des changements d'unités.

PROJET

Le tour du monde

Société des maths

Simon Stevin

À qui ça sert ?

Directeur ou directrice d'équipe de sport

Le tour du monde

Présentation

Autrefois, les gens croyaient que la Terre était plate. Ainsi, quand des explorateurs disparaissaient, on pensait qu'arrivés au bout du monde, ils en étaient tombés.

Fernand de Magellan et son équipage furent les premiers à faire le tour du monde et à prouver ainsi, hors de tout doute, la rotondité de la Terre.

Aujourd'hui, faire le tour du monde n'est plus un exploit mais demeure un rêve pour plusieurs.

Quelle chance tu as : tu viens de gagner un billet d'avion te permettant de prendre l'avion autant de fois que tu le désires pendant deux mois! Tu peux donc te lancer dans la merveilleuse aventure du tour du monde.

Le château Neuschwanstein, en Bavière.

Mandat général proposé

Dans ce projet, tu devras planifier un voyage autour du monde. Ce projet se compose de trois parties.

- **Partie 1** : Recherche des endroits à visiter.
- **Partie 2** : Détermination de l'itinéraire du voyage.
- **Partie 3** : Évaluation du coût du voyage.

Mise en train

1. As-tu déjà voyagé? Quelle était ta destination?
2. Quel est le nom de chacun des continents?
3. Quel est le continent le plus peuplé?
4. Quelle est la température annuelle moyenne de ta ville?

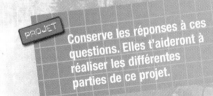

PROJET Conserve les réponses à ces questions. Elles t'aideront à réaliser les différentes parties de ce projet.

Partie 1 : Recherche des endroits à visiter

Avant d'entreprendre un voyage autour du monde, on se renseigne habituellement sur les endroits que l'on désire visiter. Où rêves-tu d'aller? Préfères-tu les grandes villes? Les safaris? Les plages désertes?

Mandat proposé

Dresser la liste des endroits à visiter et justifier chaque choix.

Le trajet doit prévoir un séjour :

- en Amérique, en Europe, en Afrique, en Asie et en Océanie;

- dans un minimum de 5 villes et un maximum de 10 villes;

- dans deux pays n'utilisant pas le système international d'unités;

- dans une ville ayant une température annuelle moyenne d'environ 12 °C;

- à un endroit où un mathématicien ou une mathématicienne célèbre a vécu.

> **PROJET**
> Au besoin, consulte les unités 6.2 à 6.4, qui traitent des opérations sur les nombres décimaux, et du système international d'unités.

PISTES D'EXPLORATION...

- As-tu utilisé les informations trouvées dans la «Mise en train»?

- As-tu consulté différentes sources d'information (atlas, Internet, dictionnaires, encyclopédies, revues de voyage, etc.)?

- Dans quelle région du monde devras-tu chercher pour trouver une ville ayant une température annuelle moyenne d'environ 12 °C?

Désert du Sahara

Savane d'Afrique

Thaïlande

Grand Canyon

Maintenant que tu as choisi les endroits à visiter, évalue les distances à parcourir et le temps qu'il te faudra pour les franchir. Ainsi tes proches pourront suivre ton périple jour après jour.

Mandat proposé

À l'aide de la carte du monde ci-dessous, évaluer les distances qui séparent chacun des endroits à visiter ainsi que le temps nécessaire pour les franchir.

- La durée du voyage est de deux mois.

- Tu dois rester au moins quatre jours à chaque endroit.

- Tu dois indiquer la ville, le pays, le continent et la durée de ton séjour à chaque endroit.

PISTES D'EXPLORATION...

- As-tu utilisé l'échelle de la carte pour évaluer les distances ?

- As-tu déterminé la vitesse moyenne d'un avion ?

- As-tu utilisé un schéma ou un tableau pour organiser l'information concernant tous les endroits à visiter ?

PROJET

Au besoin, consulte les unités 6.3 et 6.4, qui traitent de la multiplication et de la division de nombres décimaux, et du système international d'unités.

Le symbole ≜ est celui de la correspondance d'échelle et se lit « correspond à ». Ici, 1 dm sur la carte correspond à 13 800 km dans la réalité.

Lors d'un vol, il a fallu 6 h 9 min pour parcourir la distance entre Montréal et Paris en avion.

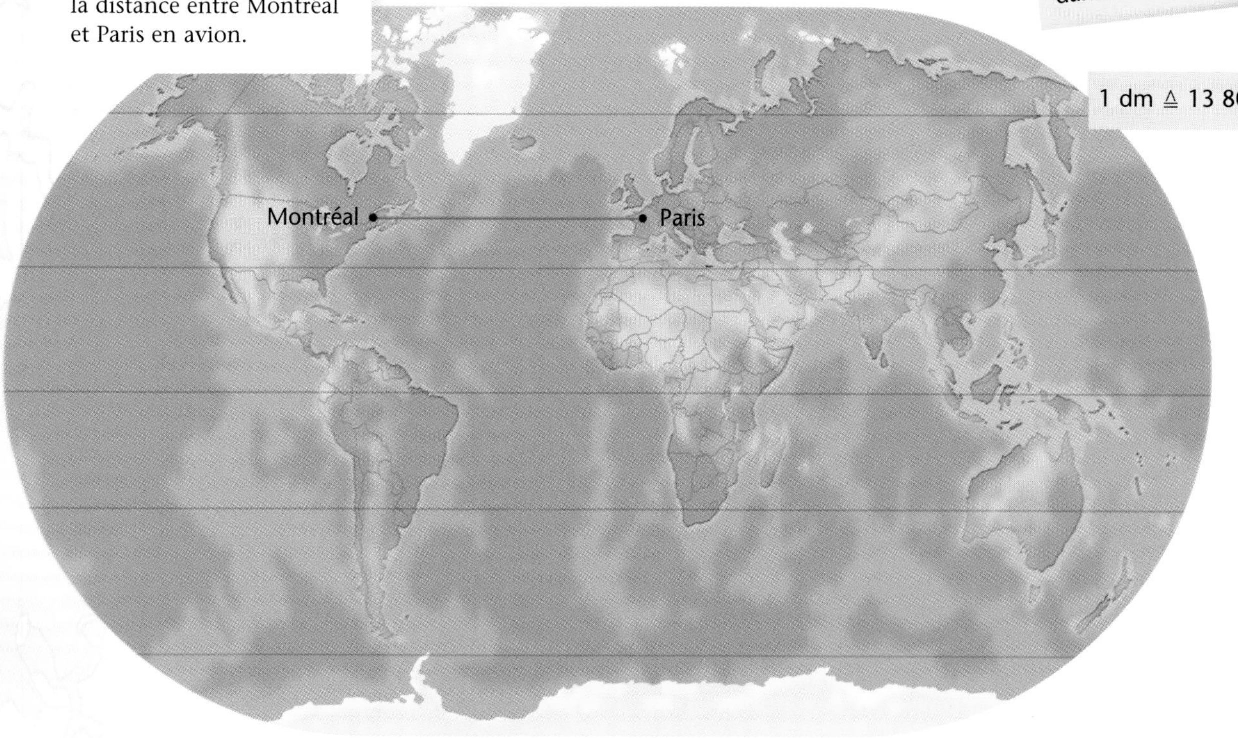

1 dm ≜ 13 800 km

Tu as choisi les endroits que tu visiteras et tu as prévu le temps qu'il te faudra. Il faut maintenant déterminer ce que ce tour du monde te coûtera. Comme tu voyageras partout dans le monde, tu te familiariseras avec plusieurs monnaies locales.

Mandat proposé

À l'aide de la carte ci-dessous, évaluer le coût du voyage.

- Le montant nécessaire pour te loger, te nourrir et te divertir dans chacun des pays doit être exprimé en monnaie locale et en monnaie canadienne. Tu dois laisser les traces de tes calculs.

- Tu dois indiquer le coût total de tes dépenses à chaque endroit.

- Tu dois représenter à l'aide d'un diagramme de ton choix le pourcentage du coût total du voyage alloué :

  1) à l'hébergement; 2) aux repas; 3) aux activités.

PISTES D'EXPLORATION...

■ L'utilisation d'un tableau ou d'un tableur t'aiderait-elle à évaluer le coût de ton voyage?

■ As-tu consulté des sources de référence pour connaître la monnaie locale de chaque pays visité?

PROJET
Au besoin, consulte les unités 6.1 à 6.3, qui traitent du passage d'une forme d'écriture à une autre et des opérations sur les nombres décimaux.

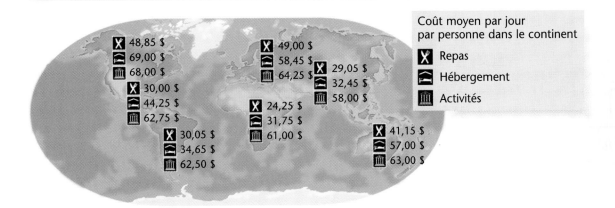

Coût moyen par jour par personne dans le continent

🍴 Repas
🛏 Hébergement
🏛 Activités

🍴 48,85 $
🛏 69,00 $
🏛 68,00 $

🍴 30,00 $
🛏 44,25 $
🏛 62,75 $

🍴 30,05 $
🛏 34,65 $
🏛 62,50 $

🍴 49,00 $
🛏 58,45 $
🏛 64,25 $

🍴 29,05 $
🛏 32,45 $
🏛 58,00 $

🍴 24,25 $
🛏 31,75 $
🏛 61,00 $

🍴 41,15 $
🛏 57,00 $
🏛 63,00 $

Bilan du projet : Le tour du monde

Tout est maintenant prêt pour ton départ.

- Trace ton itinéraire sur la carte du monde qui t'est fournie.
- Présente les résultats obtenus dans chacune des parties de ce projet.
- Écris un court texte sur le mathématicien ou la mathématicienne célèbre qui a vécu dans une des villes que tu visiteras.

SITUATION-PROBLÈME Un problème de typographie

Adrien, un journaliste du journal *L'Éclair* de Paris, a dactylographié ce texte pour l'édition du 9 janvier 1905.

Le début du 20ième siècle est marqué par un artiste peintre du nom de Pablo Picasso. Depuis son arrivée à Paris en 1901, Picasso a créé de nombreuses toiles. Un sondage auprès de la population parisienne a révélé que :

$\frac{41}{100}$ des personnes interrogées aiment les oeuvres de Picasso;

$\frac{2}{10}$ des personnes n'aiment pas les toiles de cet artiste;

$\frac{147}{1000}$ des personnes ayant répondu au sondage ne connaissent pas Picasso.

Le reste, soit $\frac{243}{1000}$ des personnes interrogées, a déclaré ne pas avoir d'opinion sur ce peintre.

Picasso, dont les oeuvres sont principalement peintes dans les teintes de bleu, marquera sans doute l'histoire de l'art du 20ième siècle.

La machine Bar-Lock, 1894

En 1873, la première machine à écrire voit le jour. Il faudra attendre en 1894 pour qu'apparaisse la première machine à écriture visible, c'est-à-dire dont les caractères, imprimés sur le rouleau, peuvent être vus par la personne qui dactylographie.

Le rédacteur en chef avise Adrien que son texte occupe trop d'espace à cause de l'écriture des fractions.

Adrien doit trouver une solution, sans couper aucune information.

Que peut faire Adrien ?

PISTES D'EXPLORATION...

- Quelles autres formes d'écriture d'un nombre connais-tu ?

- Qu'ont en commun les dénominateurs de toutes les fractions ?

- Quelle est la base de notre système de numération ?

Bonjour, *hello, buenos días, buongiorno* et *guten Tag* sont toutes des façons d'exprimer le même message, mais dans différentes langues. En mathématique, un nombre peut aussi s'exprimer sous différentes formes d'écriture.

De la notation fractionnaire à la notation décimale

a. Certaines calculatrices, comme celle illustrée ci-contre, ne permettent pas d'afficher un nombre en notation fractionnaire.

  1) Comment peut-on alors saisir des fractions ?

  2) Quel serait le résultat affiché pour les fractions suivantes ?

    i) $\dfrac{3}{10}$ ii) $\dfrac{1}{5}$ iii) $\dfrac{3}{8}$ iv) $\dfrac{8}{11}$

b. 1) Écris chacune des fractions suivantes en notation décimale.

$\boxed{\dfrac{6}{13}}$ $\boxed{\dfrac{3}{11}}$ $\boxed{\dfrac{1}{2}}$ $\boxed{\dfrac{27}{50}}$ $\boxed{\dfrac{5}{9}}$ $\boxed{\dfrac{3}{4}}$ $\boxed{\dfrac{1}{6}}$ $\boxed{\dfrac{211}{1000}}$ $\boxed{\dfrac{5}{8}}$ $\boxed{\dfrac{1}{3}}$ $\boxed{\dfrac{43}{100}}$

  2) Classe-les ensuite en deux groupes, en fonction de leur partie décimale. Explique ton classement.

c. 1) Calcule $\dfrac{1}{23} + \dfrac{1}{3}$:

    i) par écrit, en déterminant un dénominateur commun ;

    ii) en utilisant une calculatrice.

  2) Laquelle des deux méthodes donne le résultat le plus précis ? Explique ta réponse.

d. Effectue, par écrit, le calcul te permettant d'écrire en notation décimale chacune des fractions suivantes. Arrondis ta réponse au centième près.

  1) $\dfrac{6}{7}$ 2) $\dfrac{5}{14}$ 3) $\dfrac{8}{9}$ 4) $\dfrac{32}{11}$

e. Quelle erreur commet-on en écrivant que $\dfrac{22}{29} = 0{,}76$? Explique ta réponse.

Du pourcentage à la notation décimale

f. Écris d'abord les pourcentages suivants en fractions décimales, puis en notation décimale.

1) 62 %　　2) 9 %　　3) 437 %　　4) 12,1 %　　5) 0,8 %

g. Explique comment tu peux saisir sur la calculatrice les pourcentages suivants et note les nombres affichés.

1) 45 %　　2) 253 %　　3) 6 %　　4) 23,7 %　　5) 0,4 %

De la notation décimale à la notation fractionnaire / au pourcentage

h. À l'aide d'une calculatrice, on a effectué $\dfrac{7}{50} + \dfrac{1}{16}$. On a obtenu le résultat ci-dessous Écris le nombre décimal obtenu :

1) en toutes lettres;　　2) en fraction décimale;

3) en fraction irréductible;　　4) en pourcentage.

```
7/50+1/16
          0.2025
```

> Il est à noter que la majorité des calculatrices utilisent un point plutôt qu'une virgule pour séparer la partie entière de la partie décimale d'un nombre.

De la notation fractionnaire au pourcentage

i. Parmi les fractions suivantes, quelles sont celles que tu peux facilement écrire en pourcentages? Explique ta réponse.

$$\frac{45}{100} \quad \frac{7}{10} \quad \frac{13}{22} \quad \frac{9}{20} \quad \frac{2}{7} \quad \frac{7}{15} \quad \frac{3}{5} \quad \frac{180}{200} \quad \frac{5}{6} \quad \frac{61}{50}$$

j. Comment pourrais-tu procéder pour écrire en pourcentages les fractions que tu juges plus difficiles à transformer?

Du pourcentage à la notation fractionnaire

k. Écris les pourcentages suivants en fractions décimales, puis réduis la fraction, s'il y a lieu.

1) 21 %　　2) 35 %　　3) 168 %　　4) 450 %

l. Pour écrire en notation fractionnaire un pourcentage formé d'un nombre décimal, Malik a procédé ainsi :

$$84{,}6\ \% = \underset{\underset{\times 10}{\curvearrowright}}{\overset{\overset{\times 10}{\curvearrowright}}{\frac{84{,}6}{100}}} = \underset{\underset{\div 2}{\curvearrowright}}{\overset{\overset{\div 2}{\curvearrowright}}{\frac{846}{1000}}} = \frac{423}{500}$$

En prenant exemple sur Malik, détermine la fraction irréductible correspondant à chacun des pourcentages suivants.

1) 12,5 %　　2) 146,3 %　　3) 0,3 %　　4) 2,54 %

ACTIVITÉ ② La course de 100 mètres

La course de 100 m est l'une des plus anciennes disciplines olympiques. Les premiers Jeux olympiques modernes eurent lieu à Athènes, en 1896. Il faudra cependant attendre en 1928 pour que les femmes puissent participer à la course de 100 m.

Le tableau ci-dessous indique les résultats de la finale du 100 m chez les femmes en 2004.

Course de 100 m
Athènes 2004

Couloir	Athlète	Pays	Performance (s)	Temps de réaction (s)
1	Lalova, Ivet	BUL	11,00	0,154
2	Bailey, Aleen	JAM	11,05	0,208
3	Campbell, Veronica	JAM	10,97	0,199
4	Williams, Lauryn	USA	10,96	0,212
5	Simpson, Sherone	JAM	11,07	0,164
6	Nesterenko, Yuliya	BLR	10,93	0,186
7	Colander, LaTasha	USA	11,18	0,183
8	Ferguson, Debbie	BAH	11,16	0,177

Le drapeau olympique affiche cinq cercles entrecroisés qui représentent les cinq continents. Il fut inauguré aux Jeux olympiques de 1920, en Belgique.

a. Place les coureuses selon leur ordre d'arrivée.

b. Le temps de réaction au départ est-il déterminant quant au résultat de la course ? Explique ta réponse.

c. Que serait-il arrivé si Veronica Campbell avait couru le 100 m en un centième de seconde de moins ?

d. 1) Laquelle des trois droites ci-dessous serait la plus appropriée pour représenter la performance de chacune des coureuses ? Explique ta réponse.

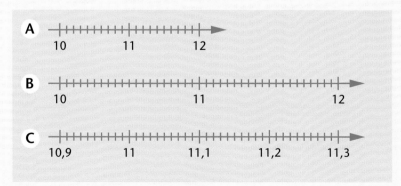

2) Reproduis la droite choisie et inscris-y les performances des différentes coureuses.

Notation décimale

Un nombre écrit en **notation décimale** peut avoir :

• **une partie décimale finie;**

On dit alors qu'il s'agit d'un **nombre décimal**. Un nombre décimal est un nombre pouvant s'écrire sous la forme d'une **fraction décimale.**

Ex. : 1) $4 = \dfrac{4}{1}$ 2) $0{,}67 = \dfrac{67}{100}$ 3) $1{,}876 = \dfrac{1876}{1000}$

• **une partie décimale infinie.**

On met des points de suspension pour indiquer que la partie décimale est incomplète. Un tel nombre ne peut pas s'écrire sous la forme d'une fraction décimale.

Ex. : 1) $2{,}345\ldots$ 2) $0{,}6262\ldots$ 3) $8{,}13333\ldots$

Fraction décimale

On appelle les **fractions décimales** toutes les fractions dont le **dénominateur** est une **puissance de 10.**

Ex. : $\dfrac{5}{1},\ \dfrac{3}{10},\ \dfrac{23}{100},\ \dfrac{17}{1000},\ \dfrac{23\,891}{10\,000}$

On peut écrire directement une fraction décimale sous la forme d'un nombre décimal en plaçant le chiffre des unités du numérateur à la position indiquée par le dénominateur.

Ex. :

1) $\dfrac{3}{10} = 0{,}3$

Le chiffre 3 est placé à la position des dixièmes.

2) $\dfrac{17}{1000} = 0{,}017$

Le chiffre 7 est placé à la position des millièmes.

3) $\dfrac{23\,891}{10\,000} = 2\dfrac{3891}{10\,000} = 2{,}3891$

Le chiffre 1 est placé à la position des dix millièmes.

Valeur de position

La virgule indique le fractionnement de l'unité. Comme la base de notre système de numération est 10, chaque position possède une valeur qui est 10 fois plus élevée que celle de la position immédiatement à sa droite.

...	unités de mille	centaines	dizaines	unités	,	dixièmes	centièmes	millièmes	dix-millièmes	cent-millièmes	millionièmes	...
...	1000	100	10	1	,	$\dfrac{1}{10}$	$\dfrac{1}{100}$	$\dfrac{1}{1000}$	$\dfrac{1}{10\,000}$	$\dfrac{1}{100\,000}$	$\dfrac{1}{1\,000\,000}$	...
Ex. : 1)				0	,	3						
2)				0	,	0	1	7				
3)				2	,	3	8	9	1			

Partie entière ← → Partie décimale

Ex. : Le nombre 7,5628 se lit «sept et cinq mille six cent vingt-huit dix millièmes».

Positions	**7**	,	**5**	**6**	**2**	**8**
Positions	unités	,	dixièmes	centièmes	millièmes	dix-millièmes
Valeurs	7		$\frac{5}{10}$ ou 0,5	$\frac{6}{100}$ ou 0,06	$\frac{2}{1000}$ ou 0,002	$\frac{8}{10\,000}$ ou 0,0008
Forme développée	7×1	+	$5 \times \frac{1}{10}$ +	$6 \times \frac{1}{100}$ +	$2 \times \frac{1}{1000}$ +	$8 \times \frac{1}{10\,000}$
Forme développée avec notation exponentielle	7×10^{0}	+	5×10^{-1} +	6×10^{-2} +	2×10^{-3} +	8×10^{-4}

Ordre

Pour **ordonner** des nombres écrits en **notation décimale,** on compare d'abord la partie entière. Si la partie entière est égale dans chacun des nombres, on compare la partie décimale, position par position, de la plus grande à la plus petite. Le nombre qui présente le plus grand chiffre en premier est le plus grand nombre.

Ex. :

1) $9,\underline{7}6 < 9,\underline{8}1$ 2) $5,62\underline{5} > 5,62\underline{1}9$ 3) $6,785 < 6,793 < 8,13 < 8,2 < 8,246$

On peut également **ordonner** des nombres en les plaçant sur une **droite numérique.**

Ex. :

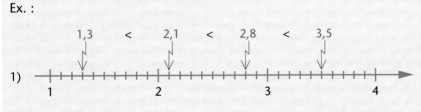

1) Le pas de graduation est de un dixième (0,1).

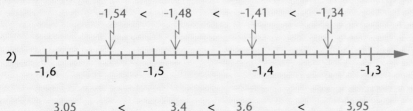

2) Le pas de graduation est de un centième (0,01).

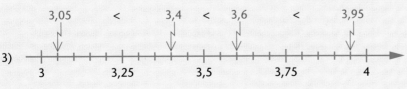

3) Le pas de graduation est de cinq centièmes (0,05).

Passage d'une forme d'écriture à une autre

On peut représenter des nombres à l'aide de la notation fractionnaire, de la notation décimale ou d'un pourcentage.

Notation fractionnaire
Pourcentage  Notation décimale

1) On exprime, si possible, la fraction ou le pourcentage en fraction décimale. On lit la fraction obtenue et on l'exprime en notation décimale.

> Ex. :
> i) $\dfrac{51}{1000} = 0,051$
> ii) $\dfrac{9}{20} = \dfrac{45}{100} = 0,45$
> iii) $62\,\% = \dfrac{62}{100} = 0,62$
> iv) $35,2\,\% = \dfrac{35,2}{100} = \dfrac{352}{1000} = 0,352$

2) Si ce n'est pas possible, on effectue la division représentée par le trait de fraction.

> Ex. : $\dfrac{5}{6} = 5 \div 6 = 0,83\ldots$ ou $\dfrac{5}{6} \approx 0,83$

Notation décimale ➡ Notation fractionnaire

On lit le nombre écrit en notation décimale et on l'exprime en fraction. On réduit ensuite la fraction, si cela est nécessaire.

> Ex. : 0,12 se lit « douze centièmes » et correspond à la fraction $\dfrac{12}{100}$.
> Une fois réduite, la fraction est équivalente à $\dfrac{3}{25}$.

Notation décimale ➡ Pourcentage

On lit le nombre écrit en notation décimale et on l'exprime en fraction. On détermine ensuite une notation fractionnaire ayant un dénominateur égal à 100, puis on l'exprime en pourcentage.

> Ex. :
> 1) 0,7 se lit « sept dixièmes » et correspond à $0,7 = \dfrac{7}{10} = \dfrac{70}{100} = 70\,\%$.
> 2) 0,243 se lit « deux cent quarante-trois millièmes » et correspond à $0,243 = \dfrac{243}{1000} = \dfrac{24,3}{100} = 24,3\,\%$.

Ce qui revient à multiplier le nombre écrit en notation décimale par 100 et à ajouter le symbole « % ».

> Ex. : $0,1 \times 100 = 10$, donc $0,1 = 10\,\%$

Pourcentage ➡ Notation fractionnaire

On exprime le pourcentage en fraction décimale, puis on écrit, au besoin, la fraction obtenue sous la forme d'une fraction irréductible.

> Ex. : 1) $60\,\% = \dfrac{60}{100} = \dfrac{3}{5}$
> 2) $0,5\,\% = \dfrac{0,5}{100} = \dfrac{5}{1000} = \dfrac{1}{200}$

1. Détermine mentalement la notation décimale qui correspond à chacune des expressions suivantes.

   a) $\dfrac{9}{10}$ b) 56 %   c) $\dfrac{1}{4}$ d) $\dfrac{21}{25}$ e) 45,7 %

2. Détermine mentalement la fraction décimale qui correspond à chacune des expressions suivantes.

   a) 34 %   b) 0,7   c) 2,51   d) 543 %   e) 1,7665

3. Détermine mentalement le pourcentage qui correspond à chacun des nombres décimaux suivants.

   a) 0,82   b) 1,24   c) 0,9   d) 0,762   e) 3,8765

4. Écris en chiffres les nombres suivants.

   a) vingt-huit et quinze centièmes;   b) trois cent quarante-huit millièmes;

   c) deux et huit millionièmes;   d) cinq mille trois et douze dix-millièmes.

5. Écris en toutes lettres les nombres décimaux suivants.

   a) 8,5   b) 102,067   c) 0,000 000 04   d) 5,034 56

6. Est-ce que 0,3 = 0,30 = 0,300? Explique ta réponse.

7. Sur quelle touche de la calculatrice dois-tu appuyer pour afficher la virgule qui sépare la partie entière de la partie décimale d'un nombre?

8. Place les nombres de chaque groupe dans l'ordre croissant.

a) 0,12	0,809	0,8	0,123
b) -2,3	-2,13	-2,132	-2,04
c) -6,7	6,3	2,78	6,18

9. Indique quel nombre décimal correspond à chacune des formes développées suivantes.

   a) $3 \times 1000 + 2 \times 100 + 5 \times 10 + 6 \times 1 + 3 \times 0,1 + 8 \times 0,01 + 7 \times 0,001$

   b) $6 \times 10\ 000 + 3 \times 10 + 8 \times \dfrac{1}{10} + 7 \times \dfrac{1}{10\ 000}$

   c) $5 \times 10^4 + 6 \times 10^{-2} + 8 \times 10^{-5}$

10. Écris les nombres décimaux suivants sous la forme développée. Utilise la notation exponentielle.

   a) 1 567 800,4507

   b) 6 000 000 000,045 89

11. Quel chiffre représente toujours la même valeur, peu importe la position qu'il occupe dans un nombre décimal?

12. Écris trois nombres compris entre 0,2 et 0,3.

13. Arrondis 543 672,8125 à la position demandée :

   a) à la centaine près;

   b) à l'unité près;

   c) au centième près;

   d) au millième près.

   > On ne modifie pas la valeur d'un nombre décimal lorsqu'on ajoute des zéros après le dernier chiffre de la partie décimale. C'est pour cette raison que l'on n'écrit habituellement pas les « zéros inutiles ».

14. MONNAIE Écris le nombre décimal qui correspond à la valeur en dollars représentée par chacune des pièces de monnaie canadienne illustrées ci-dessous.

   a)

   b)

   c)

   d)

   e)

   f)

   La pièce de un dollar a été mise en circulation en 1987. Le mot « loonie » utilisé pour désigner cette pièce vient du nom anglais du huard (loon).

15. Place la virgule dans le nombre 5 4 2 9 8 1 6 de façon que :

   a) le chiffre 9 occupe la position des centièmes;

   b) le chiffre 1 occupe la position des millionièmes;

   c) le nombre soit 10 fois plus grand que 5429,816;

   d) le nombre soit 100 fois plus petit que 54 298,16.

16. Sur chacune des droites ci-dessous, quel est le nombre décimal indiqué par la flèche?

a)

b)

c)

d)

17. Situe le plus précisément possible chaque nombre sur une droite numérique. Utilise une droite différente pour chaque nombre.

a) 7,2

b) -1,7

c) -2,12

d) 5,023

18. Écris les nombres suivants en notation décimale, avec une précision de deux chiffres après la virgule.

a) $\dfrac{8}{15}$

b) $\dfrac{13}{6}$

c) $3\dfrac{1}{7}$

d) 167 %

19. Donne la fraction irréductible qui correspond à chacun des nombres décimaux suivants.

a) 0,42

b) 1,3

c) 6,22

d) 0,0006

20. Détermine le pourcentage correspondant à chacun des nombres suivants.

a) 0,7

b) 2,32

c) 5,143

d) 52,001

e) $\dfrac{3}{5}$

f) $\dfrac{4}{15}$

g) $\dfrac{12}{11}$

h) $\dfrac{7}{13}$

21. Dans chaque cas, place le symbole qui convient (<, > ou =).

a) $\dfrac{1}{6}$ ■ 0,16

b) 18 % ■ 0,182

c) $\dfrac{21}{13}$ ■ 1,62

d) $\dfrac{4}{27}$ ■ $\dfrac{5}{34}$

22. Les expressions suivantes sont-elles vraies ou fausses? Pourquoi?

a) $\dfrac{2}{3}$ = 0,6

b) $\dfrac{5}{7}$ ≈ 0,71

c) $\dfrac{3}{11}$ = 0,27...

23. Complète le tableau ci-contre.

Fraction irréductible	Pourcentage	Nombre décimal
A	12 %	B
C	D	0,52
$\frac{1}{8}$	E	F
$\frac{12}{5}$	G	2,4
$\frac{1}{250}$	0,4 %	H
I	0,07 %	0,0007

24. On prétend que 9,4 h équivalent à 9 h 40 min. Qu'en penses-tu?

25. Écris en notation décimale les durées suivantes.

a) 1 h 15 min   b) 36 min   c) 2 h 30 min   d) 22 min

26. Un enseignant veut vérifier si ses élèves sont en mesure d'écrire correctement des nombres décimaux. Il dicte un nombre et les élèves doivent l'écrire en chiffres sur leur feuille. Sonia n'a pas entendu la fin de la phrase. Voici ce qu'elle a saisi : «cent vingt-trois et soixante-deux...» Combien de nombres différents peut-elle écrire sur sa feuille? Explique ta réponse.

27. Combien de nombres décimaux différents peux-tu écrire avec les chiffres 1, 2, 3 et une virgule, en n'utilisant chacun des chiffres qu'une seule fois?

ZOOM

❶ Si $\frac{3}{16}$ = 0,1875, peut-on être assuré que 10 000 est divisible par 16? Explique ta réponse.

❷ Lorsqu'on effectue une division afin d'exprimer une fraction en notation décimale, il arrive parfois que la partie décimale soit illimitée. Si l'on poursuit la division assez longtemps, on se rend compte que c'est toujours la même séquence de chiffres qui se répète à l'infini.

a) Effectue par écrit la division qui te permet de déterminer la notation décimale qui correspond à $\frac{5}{11}$. Poursuis la division jusqu'à ce que tu obtiennes la séquence de chiffres qui se répète à l'infini.

b) Comment peux-tu te rendre compte que la séquence de chiffres recommence?

c) Si $\frac{4}{15}$ = $0,2\overline{6}$, que représente le trait au-dessus de 6 dans la notation décimale?

PROJET — Cette unité t'aidera à réaliser les parties 1 et 3 de ton projet.

SITUATION-PROBLÈME Le magicien déjoué

Les curiosités mathématiques sont à la source de plusieurs tours de magie. C'est probablement pour cette raison que plusieurs magiciens et magiciennes sont des adeptes de la mathématique!

Voici un de ces tours :

1) *Choisis un nombre entier de 1 à 10.*

2) *Multiplie ce nombre par 9.*

3) *Additionne les chiffres du résultat (exemple : pour 32, tu fais 3 + 2 = 5).*

4) *Soustrais 4 du nombre que tu viens d'obtenir.*

5) *Associe le nombre obtenu à une lettre de l'alphabet de la façon suivante : A = 1, B = 2, C = 3, etc.*

6) *Pense à un animal d'Afrique dont le nom commence par cette lettre.*

7) *L'animal auquel tu penses est-il celui illustré à la page 73 de ton manuel?*

Sacha a inventé un tour, lui aussi. Le voici :

• Choisis un nombre décimal positif différent de 5.

• Si ce nombre est plus petit que 5, ajoute-lui 2,7.

• S'il est plus grand que 5, retranche-lui 1,4.

• Donne-moi la somme ou la différence obtenue et je t'indiquerai le nombre que tu avais choisi.

Le tableur premet de simuler rapidement un grand nombre de possibilités.

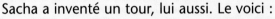

De quelle façon peux-tu déjouer Sacha ?

PISTES D'EXPLORATION...

▪ As-tu fait quelques essais?

▪ Combien de chiffres peut-il y avoir dans la partie décimale?

▪ Quel est le plus grand nombre que tu peux choisir pour déjouer Sacha? Le plus petit?

New York, New York

Il est relativement facile de trouver son chemin à Manhattan. En effet, la ville est quadrillée par un réseau de rues et d'avenues se croisant presque toujours à angle droit. La 5e Avenue partage la ville en deux parties : l'est et l'ouest. On a superposé au plan de la ville de Manhattan un plan cartésien où l'origine correspond à l'Empire State Building, qui est situé au coin de la 5e Avenue et de la 34e Rue.

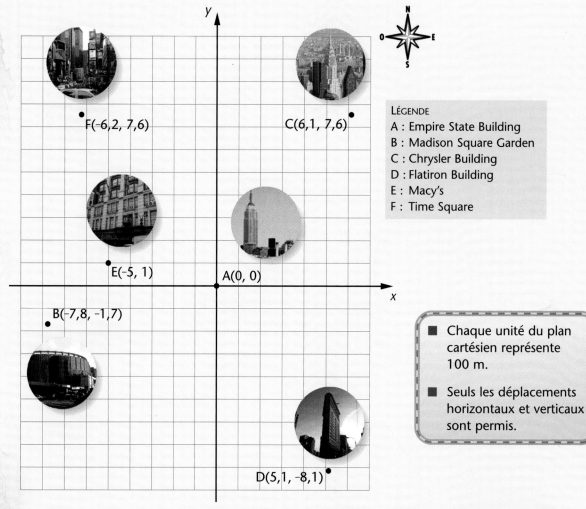

LÉGENDE

A : Empire State Building
B : Madison Square Garden
C : Chrysler Building
D : Flatiron Building
E : Macy's
F : Time Square

F(-6,2, 7,6)
C(6,1, 7,6)
E(-5, 1)
A(0, 0)
B(-7,8, -1,7)
D(5,1, -8,1)

- Chaque unité du plan cartésien représente 100 m.

- Seuls les déplacements horizontaux et verticaux sont permis.

a. Quelle est la distance entre le Time Square et le Chrysler Building ?

b. Combien de kilomètres, au minimum, une personne devra-t-elle parcourir :

1) pour se rendre du Chrysler Building au Macy's ?

2) si elle part de l'Empire State Building et désire voir tous les endroits mentionnés dans le plan cartésien ?

Central Park est le seul espace vert de Manhattan. Il a fallu 20 ans pour l'aménager. Les travaux furent réalisés, entre autres, par Frederic Law Olmsted (1822-1903), qui participa aussi à l'aménagement du parc du Mont-Royal, à Montréal.

Calepin des **savoirs**

Addition et soustraction de nombres décimaux

Pour **additionner** ou **soustraire** des nombres décimaux :

1) on aligne les virgules et les positions de chacun des chiffres;

2) on ajoute, s'il y a lieu, des zéros aux positions où il n'y a pas de chiffre;

3) on additionne ou soustrait les nombres comme s'il s'agissait de nombres entiers.

Ex. :

1) 12,7 + 6,58

$$\begin{array}{r} 1\ 2\ ,\ 7 \\ +\ \ \ \ 6\ ,\ 5\ 8 \\ \hline \end{array}$$

$$\begin{array}{r} 1\ 2\ ,\ 7\ 0 \\ +\ 0\ 6\ ,\ 5\ 8 \\ \hline \end{array}$$

$$\begin{array}{r} {}^{1} \\ 1\ 2\ ,\ 7\ 0 \\ +\ 0\ 6\ ,\ 5\ 8 \\ \hline 1\ 9\ ,\ 2\ 8 \end{array}$$

2) 8,57 − 3,49

$$\begin{array}{r} 8\ ,\ 5\ 7 \\ -\ \ \ 3\ ,\ 4\ 9 \\ \hline \end{array}$$

$$\begin{array}{r} 8\ ,\ 5\ 7 \\ -\ \ \ 3\ ,\ 4\ 9 \\ \hline \end{array}$$

$$\begin{array}{r} 8\ ,\ \cancel{5}\ 7 \\ -\ \ \ 3\ ,\ 4\ 9 \\ \hline 5\ ,\ 0\ 8 \end{array}$$

3) 15 − 3,32

$$\begin{array}{r} 1\ 5 \\ -\ \ \ 3\ ,\ 3\ 2 \\ \hline \end{array}$$

$$\begin{array}{r} 1\ 5\ ,\ 0\ 0 \\ -\ 0\ 3\ ,\ 3\ 2 \\ \hline \end{array}$$

$$\begin{array}{r} 1\ \cancel{5}\ ,\ 0\ 0 \\ -\ 0\ 3\ ,\ 3\ 2 \\ \hline 1\ 1\ ,\ 6\ 8 \end{array}$$

Coup d'œil

1. Estime le résultat des opérations suivantes.

   a) 6,78 + 12,5678
   b) 8,765 − 2,599
   c) 123,44 + 200,77
   d) 3410,2 − 9,8
   e) 0,7697 + 0,1218
   f) 45,62 − 12,38 + 25,73

2. Calcule mentalement le résultat des opérations suivantes.

   a) 1,5 + 2,3
   b) 5,6 − 1,4
   c) 0,003 + 14,5
   d) 6,2 − 3,5
   e) 7,0001 + 15,045
   f) 6,78 − 3,111

3. Une bonne façon de s'assurer que le caissier ou la caissière rend la monnaie exacte est de calculer soi-même la monnaie qui devrait être rendue.

> Par exemple, si l'on donne 20 $ pour payer un achat de 11,56 $,
>
> ■ on détermine d'abord combien de cents il manque pour arriver à l'entier supérieur le plus près (il manque 44 cents pour arriver à 12 $);
>
> ■ puis on soustrait l'entier obtenu du montant donné (20 − 12 = 8). On devrait donc recevoir 8,44 $ du caissier ou de la caissière.

Quelle monnaie doit-on te rendre si tu remets un billet de 20 $ pour payer chacun des achats aux montants suivants?

a) 3,67 $ b) 19,12 $ c) 15,01 $ d) 10,83 $ e) 7,36 $

4. Effectue les opérations suivantes.

a) 12 + 4,72   b) 14 − 7,345   c) 12,4 + 89,9   d) 12,11 − 8,76

e) 0,567 + 12,03   f) 3,123 − 1,789   g) 345,2 − 23,456   h) 3,8765 + 11,237

5. Détermine le résultat de chacune des opérations.

a) ⁻3,2 + 6,5   b) 7,4 − ⁻3,25   c) 8,98 + ⁻14,3   d) ⁻0,231 − 2,65

e) ⁻98,12 + ⁻11,3   f) ⁻2,156 − ⁻3,12   g) ⁻9,1 + 3,8   h) ⁻7 − ⁻5,14

6. On a omis de placer la virgule dans les résultats suivants. Sans effectuer les opérations, place la virgule au bon endroit dans chacun des résultats.

a) 34,56 + 57,89 + 81,2 = 1 7 3 6 5

b) 245,78 − 100,678 − 50,125 = 9 4 9 7 7

c) ⁻4,32 + 12,98 − 7,162 = 1 4 9 8

d) ⁻120,98 − 157,8 + 67 = ⁻2 1 1 7 8

7. Quel est le périmètre du polygone ci-dessous?

1,6 m

0,6 m

0,6 m

0,9 m

0,7 m

2,41 m

8. Détermine le terme manquant.

a) $2{,}5 + \square = 12{,}\ 1$ b) $\square + {}^{-}9{,}8 = 18{,}3$ c) $14{,}7 - \square = 0{,}2$

d) ${}^{-}0{,}65 - \square = {}^{-}5{,}8$ e) ${}^{-}121{,}6 + \square = {}^{-}432$ f) $12{,}3 + \square = {}^{-}12{,}3$

9. Une station-service affiche le prix du litre d'essence à 0,899 \$ et son concurrent, à 0,919 \$. Quel est l'écart entre le coût d'un litre d'essence dans ces deux stations-service ?

10. BESOIN EN EAU Le corps humain perd chaque jour environ 2,4 L d'eau par l'urine, la respiration et la transpiration. Les aliments que l'on mange procurent environ 0,9 L d'eau par jour et le reste doit être comblé en buvant. Combien de litres d'eau devrait-on boire par jour ?

Le dromadaire peut vivre jusqu'à huit jours sans eau, tandis que l'humain ne peut vivre plus de trois jours sans eau.

11. Effectue les chaînes d'opérations suivantes.

a) $4{,}3 - (12{,}6 - 9{,}5)$ b) ${}^{-}7{,}8 - (12{,}4 - {}^{-}4{,}8)$

c) ${}^{-}0{,}8 - ({}^{-}0{,}9 + 1{,}4)$ d) ${}^{-}2{,}3 + 12{,}6 - 5{,}6 + 0{,}8$

12. AVIATION Le 24 octobre 2003, le Concorde effectuait son dernier vol. Il avait été le premier avion commercial à briser le mur du son.

Voici un tableau comparatif du Concorde et du Boeing 747.

Caractéristiques des avions

	Concorde	Boeing 747
Longueur (m)	62,19	70,7
Hauteur (m)	11,32	19,4
Largeur de la cabine intérieure (m)	2,63	6,1
Vitesse (km/h)	2160	915
Mach	2,02	0,85

On appelle « Mach » (du nom d'un physicien autrichien) le rapport entre la vitesse d'un mobile et celle du son, qui est d'environ 299 m/s à l'altitude de croisière d'un Boeing 747 (10 670 m), et d'environ 297 m/s à l'altitude de croisière du Concorde (16 765 m). Quand un avion dépasse Mach 1, on dit qu'il est en vol supersonique.

Quelle est la différence entre :

a) les longueurs des deux avions ? b) les hauteurs des deux avions ?

c) les largeurs de la cabine intérieure ?

13. Voici le relevé du compte de banque de Laurianne. Combien devra-t-elle déposer pour que son compte ne soit plus à découvert?

Dépôt	Retrait
100,34 $	
	29,67 $
12,45 $	
213,56 $	
	76,15 $
378,98 $	
	600,12 $

Banque d'épargne
Relevé de compte

14. Effectue les opérations suivantes.

a) $0,98 + 15\%$

b) $\dfrac{5}{8} - 0,2$

c) $\dfrac{39}{20} + 2,6$

d) $0,15\% - 0,001$

e) $\dfrac{3}{10} + 0,7 + \dfrac{3}{1000}$

f) $7,43 - 145\% - \dfrac{12}{5}$

15. Place des virgules aux endroits appropriés pour valider l'égalité.

$1\ 2\ 3 + 5\ 2\ 7\ 7 + 2\ 3\ 4\ 1 = 2\ 8\ 8\ 1$

16. Un sac contient des billes bleues, des jaunes et des rouges. La probabilité de tirer une bille bleue du sac est de 0,44 et celle de tirer une bille jaune est de 0,37. Quelle est la probabilité de tirer une bille rouge?

17. Une action valait 120,34 $ le jour de son émission. Combien vaut-elle cinq jours plus tard?

Jour	1	2	3	4	5
Variation du prix de l'action	+2,34	-5,67	-1,23	-0,25	+2,95

18. Écris 4 nombres qui ont chacun deux décimales et dont la somme est 6,3.

19. Christine arrive à la caisse d'un supermarché avec son panier bien rempli. Elle tente d'estimer le montant total de ses achats au fur et à mesure qu'elle dépose les articles sur le tapis roulant. En moins de deux minutes, détermine le nombre de billets de 20 $ qu'elle devra sortir de son porte-monnaie pour payer ses emplettes.

2,31 $	6,79 $	14,87 $	0,35 $	6,12 $	12,24 $
1,67 $	5,02 $	8,12 $	4,99 $	2,81 $	0,88 $
3,56 $	7,01 $	1,89 $	9,99 $	10,07 $	0,99 $

Tu peux vérifier ton estimation à l'aide de la calculatrice.

20. Combien y a-t-il de façons différentes de compléter l'expression ci-dessous à l'aide des chiffres de 1 à 6, chacun n'étant utilisé qu'une seule fois?

$$\boxed{},\boxed{} + \boxed{},\boxed{} + \boxed{},\boxed{} = \text{(nombre entier)}$$

Unité 6.3 Une façon de procéder

SITUATION-PROBLÈME · L'achat d'un ordinateur portable

On désire acheter un ordinateur portable. Cinq magasins affichent le même prix, soit 2495,99 $, mais chacun offre un rabais différent. Considérons que les taxes représentent 15 % du prix de l'ordinateur.

L'INFORMATIQUE PRATIQUE

Rabais de 400 $ après les taxes

La maison du portable

Rabais de 15 % sur le prix avant les taxes

TOUT pour l'informatique
pour l'informatique

Rabais de 400 $ avant les taxes

L'entrepôt de l'informatique

On paye les taxes.

info.com

Rabais de 15 % sur le prix après les taxes

Dans quel magasin devrait-on acheter ?

PISTES D'EXPLORATION...

■ Est-ce que la réponse sera différente si tu arrondis le coût du portable pour simplifier les calculs ?

■ As-tu déjà résolu un problème où tu devais calculer le pourcentage d'un nombre ?

■ As-tu comparé ta démarche avec celles d'autres élèves ?

ACTIVITÉ ① Les soldes de fin de saison

Danny profite des soldes de fin de saison des magasins pour acheter quelques articles.
Voici la liste de ses achats.

Article	Coût	Rabais
Disques compacts vierges	32,95 $	20 %
Jeu vidéo	69,99 $	30 %
Lecteur MP3	129,99 $	35 %
Chemise	95,00 $	60 %
Bas	4,99 $	5 %

Au Canada,
une taxe est imposée
sur les ventes
de supports vierges
tels que les disques
compacts,
les cassettes et
les minidisques.
Ces montants sont
redistribués
aux artistes
afin d'atténuer
les pertes
occasionnées par
le piratage.

a. Estime, en dollars, le rabais obtenu sur chacun des articles.

b. Écris le calcul à effectuer pour déterminer le montant exact
du rabais à l'aide de ta calculatrice, puis détermine, en dollars,
le rabais sur chacun des articles.

c. Quel est le montant total des achats de Danny avant les taxes ?

d. 1) Estime le montant des achats de Danny une fois qu'il aura
payé les taxes.

2) Écris et effectue le calcul te permettant de déterminer
le montant exact des achats de Danny une fois qu'il aura payé
les taxes.

En 2005, les taxes
au Québec étaient
de 15,025 % du prix
total des achats.

e. Quel pourcentage du prix marqué de chacun des articles
Danny devra-t-il payer avant les taxes ?

f. En effectuant une seule opération, suggère une façon de calculer
le coût :

1) de son lecteur MP3, après le rabais mais avant les taxes ;

2) d'un article de 44 $ une fois qu'il aura payé les taxes.

Tu peux établir
la facture sur
un tableur, en entrant
des formules
pour calculer
les rabais et les taxes.

Au 8ᵉ siècle, le mathématicien persan Al-Khuwarizmi énonçait déjà des algorithmes. Mais qu'est-ce qu'un algorithme? C'est une suite d'opérations à effectuer qui permet de résoudre un grand nombre de problèmes. On rencontre une foule d'algorithmes en mathématique et en informatique.

a. Nomme des algorithmes que tu connais en mathématique.

b. Transforme d'abord les nombres décimaux en fractions décimales, puis effectue les multiplications.

1) $0,7 \times 0,2$ 2) $1,21 \times 1,4$

3) $0,06 \times 0,002$ 4) $0,8 \times 4$

c. Sans effectuer de calcul, détermine le dénominateur de la fraction décimale de chacun des produits suivants.

1) $7,89 \times 5,67$ 2) $0,987 \times 5,87$

3) $5 \times 9,675$ 4) $0,9876 \times 213,56$

Al-Khuwarizmi
Mathématicien, astronome et géographe arabe (780-850)

Il a introduit des méthodes de calcul utilisant les chiffres arabes et la notation décimale qu'on appelle «algorithmes», ce terme étant dérivé de son nom. Les traductions latines de ses écrits ont servi de base à la mathématique occidentales du 10ᵉ au 14ᵉ siècle.

d. Donne un algorithme permettant de multiplier deux nombres décimaux.

e. Lina effectue sur la calculatrice $0,6 \times 1,5$. Elle prévoit que le produit aura deux chiffres après la virgule. Pourtant, la calculatrice affiche 0,9. Pourquoi?

ACTIVITÉ **3** **Des aires de rectangles**

On connaît l'aire et la base de cinq rectangles.

Aire : 2400   Aire : 240   Aire : 24   Aire : 2,4   Aire : 0,24

A   B   C   D   E

Base : 300   Base : 30   Base : 3   Base : 0,3   Base : 0,03

a. Quelle opération te permet de déterminer la hauteur du rectangle **A**?

b. Détermine la hauteur de chacun des rectangles.

c. Que remarques-tu? Explique ta réponse.

Multiplication de nombres décimaux

Pour **multiplier des nombres décimaux,** on peut :

- Estimer le produit, multiplier les nombres comme s'il s'agissait de nombres entiers et placer la virgule dans le produit selon l'estimation.

Ex. :

$4,3 \times 2,7$

Estimation

$4,3 \times 2,7 \approx 4 \times 3 = 12$

$$
\begin{array}{r}
4\ 3 \\
\times\ 2\ 7 \\
\hline
3\ 0\ 1 \\
+\ 8\ 6\ 0 \\
\hline
1\ 1\ 6\ 1
\end{array}
$$

Selon l'estimation, le produit est à peu près égal à 12. Le produit est donc 11,61.

- Écrire les nombres sous la forme de fractions, effectuer la multiplication et donner le produit en notation décimale.

Ex. : $0,3 \times 0,11 = \dfrac{3}{10} \times \dfrac{11}{100} = \dfrac{33}{1000} = 0,033$

- Multiplier les nombres comme s'il s'agissait de nombres entiers et placer la virgule de façon à ce qu'il y ait autant de décimales dans le produit que dans les facteurs réunis.

Ex. :

$0,12 \times 2,4$

$$
\begin{array}{r}
1\ 2 \\
\times\ 2\ 4 \\
\hline
4\ 8 \\
+\ 2\ 4\ 0 \\
\hline
2\ 8\ 8
\end{array}
$$

(facteur) $\times$ (facteur) $=$ (produit)

$0,\underline{12} \times 2,\underline{4} = 0,\underline{288}$

Comme il y a trois chiffres en tout dans la partie décimale des facteurs, il y a trois chiffres dans la partie décimale du produit.

Propriété de la division

Dans une division, on ne **change pas le quotient** si l'on **multiplie** ou **divise** le **dividende** et le **diviseur** par le **même nombre.**

Ex. : 1) $4,5 \div 2,25 = 45 \div 22,5 = 450 \div 225 = 900 \div 450 = 2$

$\times 10 \quad \times 10 \quad \times 2$

$\dfrac{4,5}{2,25} = \dfrac{45}{22,5} = \dfrac{450}{225} = \dfrac{900}{450} = 2$

$\times 10 \quad \times 10 \quad \times 2$

2) $120 \div 20 = 60 \div 10 = 12 \div 2 = 1,2 \div 0,2 = 6$

$\div 2 \quad \div 5 \quad \div 10$

$\dfrac{120}{20} = \dfrac{60}{10} = \dfrac{12}{2} = \dfrac{1,2}{0,2} = 6$

$\div 2 \quad \div 5 \quad \div 10$

Division de nombres décimaux

Pour diviser des nombres décimaux, on doit :

1) multiplier ou diviser le dividende et le diviseur par la même puissance de 10, de telle sorte que le diviseur devienne un nombre entier. Ainsi, on obtient une division équivalente à la première mais dont le diviseur est un nombre entier;

> Il est toujours utile d'estimer le résultat en cherchant des nombres compatibles.
> Ex. :
> $8,58 \div 2,3 \approx 8 \div 2 = 4$

> Ex. : $8,58 \div 2,3 = 85,8 \div 23$
> Dans ce cas-ci, on a multiplié le dividende et le diviseur par 10.

2) effectuer ensuite la division.

$$
\begin{array}{r|l}
8\,5\,,8 & 23 \\
\hline
-6\,9 & 3 \\
\hline
1\,6 &
\end{array}
\qquad
\begin{array}{r|l}
8\,5\,,8 & 23 \\
\hline
-6\,9 & 3\,, \\
\hline
1\,6\quad 8 &
\end{array}
\qquad
\begin{array}{r|l}
8\,5\,,8 & 23 \\
\hline
-6\,9 & 3\,,73\ldots \\
\hline
1\,6\quad 8 & \\
-1\,6\quad 1 & \\
\hline
7\,0 & \\
-6\,9 & \\
\hline
1 &
\end{array}
$$

On insère une virgule dans le quotient au moment où l'on abaisse le chiffre occupant la position des dixièmes dans le dividende.

La division est terminée quand le reste est nul ou quand le niveau de précision désiré est atteint.

Si la division n'est pas terminée quand on s'arrête, on place des points de suspension à la fin du quotient ou on utilise le symbole « ≈ » qui signifie « est à peu près égal à ».

> Ex. : $8,58 \div 2,3 = 3,73\ldots$ ou $8,58 \div 2,3 \approx 3,73$

Coup d'œil

1. Sans effectuer de calcul, indique si le produit sera inférieur ou supérieur au facteur en rouge dans chacune des multiplications.

   a) $2,5 \times 3,6$ b) $0,4 \times 4,1$ c) $12,5 \times 0,2$ d) $0,8 \times 0,3$

2. Sans effectuer de calcul, indique si le quotient sera inférieur ou supérieur à 1 dans chacune des divisions.

   a) $6,7 \div 2,8$ b) $8,9 \div 9,6$ c) $0,4 \div 0,5$ d) $4,1 \div 0,3$

3. Estime le résultat des opérations suivantes.

   a) 12,1 × 5,2

   b) 8,03 × 9,97

   c) 102,4 × 21,8

   d) 17,6 ÷ 3,2

   e) 33,01 ÷ 8,2

   f) 102,7 ÷ 20,2

4. Pour estimer un quotient, on peut multiplier ou diviser mentalement le dividende et le diviseur par le même nombre, puis arrondir, s'il y a lieu.

   Ex. : 5,64 ÷ 0,3 = 56,4 ÷ 3 ≈ 60 ÷ 3 = 20

   Estime les quotients suivants.

   a) 9,07 ÷ 0,3

   b) 0,08 ÷ 0,011

   c) 0,8 ÷ 2,1

   d) 389,7 ÷ 23,8

5. On a omis de placer la virgule dans les membres de droite des égalités suivantes. Sans effectuer de calcul écrit, place une virgule aux endroits appropriés afin de valider les égalités.

   a) 12,4 × 8,02 = 9 9 4 4 8

   b) 0,2 × 8,6 = 1 7 2

   c) 0,5 × 6,4 = 3 2

   d) -2,56 × 3,25 = -8 3 2

   e) -23,8 ÷ -6,8 = 3 5

   f) 7,38 ÷ 0,6 = 1 2 3

6. Effectue les opérations suivantes.

   a) 12,3 × 6,9

   b) 8,25 × 3,4

   c) -7,8 × 3,2

   d) -0,56 × -0,6

   e) 16,1 ÷ 3,5

   f) 1,52 ÷ -3,8

   g) 12,82 ÷ 6,3

   h) -9,8 ÷ 2,14

7. MP3 Une chanson en format MP3 a une taille moyenne de 4,23 Mo. Combien de chansons en format MP3 peut-on enregistrer, approximativement, sur un disque compact d'une capacité de 700 Mo ?

8. On a omis de placer la ou les virgules dans les facteurs de la multiplication suivante : 3 6 × 7 8 = 28,08.

   Donne trois possibilités de facteurs qui valideraient l'égalité.

9. TAXES En 2005, les taxes au Québec étaient de 15,025 % du prix total des achats.

   a) Estime mentalement le montant des taxes à payer sur un achat de 28 $.

   b) Quel calcul dois-tu effectuer sur la calculatrice pour trouver :

      1) le montant exact des taxes sur un achat de 28 $?

      2) le montant total de l'achat ?

Le MP3 est un format de fichier audio compressé. Il est obtenu par suppression des données que l'oreille humaine est incapable de discerner. Le codage MP3 permet de diminuer d'environ 12 fois la taille d'un fichier audio habituel.

D'où vient le système international d'unités ?

En 1795, la France adopta le système métrique décimal afin de faciliter les échanges commerciaux et scientifiques. Le mètre et le kilogramme étaient créés. Plusieurs pays, voyant les avantages liés aux calculs qu'apportait ce système à base dix, l'adoptèrent aussi. Au fil des ans, les scientifiques ont voulu étendre le système à d'autres unités que celles de longueur et de masse (voir le tableau ci-contre). C'est ainsi qu'en 1960, le système international d'unités (SI), successeur du système métrique décimal, est officiellement né.

a. Utilises-tu des unités qui ne font pas partie du SI ? Si oui, donne quelques exemples.

b. On peut écrire 12,3 dm de la façon suivante : 1 mètre, 2 décimètres et 3 centimètres. Écris de cette façon :

1) 5,6 m

2) 45,98 dm

3) 0,8 cm

4) 167,05 dam

c. Que dois-tu faire pour convertir une unité de mesure :

1) en une unité plus petite ?

2) en une unité plus grande ?

d. Complète les égalités suivantes.

1) 12 m = ▬ cm

2) 5,6 hm = ▬ mm

3) 243 cm = ▬ m

4) 8,43 mm = ▬ dam

5) 12 Gm = ▬ hm

6) 256 nm = ▬ cm

Unités de base du SI

Grandeur de base	Nom
longueur	mètre
masse	kilogramme
temps	seconde
courant électrique	ampère
température thermodynamique	kelvin
quantité de matière	mole
intensité lumineuse	candela

C'est le 31 décembre 2009 que tous les produits vendus en Europe devront porter des étiquettes affichant uniquement les unités du SI. On ne trouvera plus, par exemple, la masse en kilogrammes et en livres sur les emballages. Elle sera uniquement indiquée en kilogrammes.

0,000 000 000 001 m	10^{-12}	**pico**mètre (pm)
0,000 000 001 m	10^{-9}	**nano**mètre (nm)
0,000 001 m	10^{-6}	**micro**mètre (μm)
0,001 m	10^{-3}	**milli**mètre (mm)
0,01 m	10^{-2}	**centi**mètre (cm)
0,1 m	10^{-1}	**déci**mètre (dm)
1 m	10^{0}	**mètre (m)**
10 m	10^{1}	**déca**mètre (dam)
100 m	10^{2}	**hecto**mètre (hm)
1000 m	10^{3}	**kilo**mètre (km)
1 000 000 m	10^{6}	**méga**mètre (Mm)
1 000 000 000 m	10^{9}	**giga**mètre (Gm)
1 000 000 000 000 m	10^{12}	**téra**mètre (Tm)

En 1983, lors de la 17e Conférence générale des poids et mesures, on a défini **le mètre** comme **la longueur du trajet parcouru dans le vide par la lumière pendant une durée de** $\frac{1}{299\ 792\ 458}$ **de seconde.**

ACTIVITÉ 2 ..., 10^{-2}, 10^{-1}, 10^{0}, 10^{1}, 10^{2}, ...

Lorsqu'on change d'unités dans le système international, on doit souvent multiplier ou diviser par des puissances de 10.

a. Effectue les opérations dans chacun des groupes ci-dessous.

1 Multiplication par des puissances de 10 supérieures à 1

a) 8×10

b) $7{,}56 \times 100$

c) $145{,}8 \times 1000$

d) $675{,}983 \times 10\,000$

2 Multiplication par des puissances de 10 inférieures à 1

a) $8 \times 0{,}1$

b) $7{,}56 \times 0{,}01$

c) $145{,}8 \times 0{,}001$

d) $675{,}983 \times 0{,}0001$

3 Division par des puissances de 10 supérieures à 1

a) $8 \div 10$

b) $7{,}56 \div 100$

c) $145{,}8 \div 1000$

d) $675{,}983 \div 10\,000$

4 Division par des puissances de 10 inférieures à 1

a) $8 \div 0{,}1$

b) $7{,}56 \div 0{,}01$

c) $145{,}8 \div 0{,}001$

d) $675{,}983 \div 0{,}0001$

b. Observe tous les résultats obtenus.

1) Que remarques-tu?

2) Récris toutes les puissances de 10 des groupes **2** et **4** à l'aide de fractions. Explique maintenant ce que tu as remarqué à la question **b.** 1).

c. Explique comment tu peux effectuer mentalement les opérations de chacun des groupes.

d. Pourquoi est-il facile de multiplier et de diviser par des puissances de 10?

e. Détermine une opération équivalant à :

1) diviser par 0,2;

2) multiplier par 0,25.

Calepin des **savoirs**

Le système international d'unités (SI)

Une mesure est toujours formée d'un nombre et d'une unité. Le **mètre est l'unité de longueur de base du système international d'unités.** Toutes les autres unités sont formées d'un préfixe et du mot *mètre* :

	kilo signifie 1000 fois	**hecto** signifie 100 fois	**déca** signifie 10 fois		**déci** signifie un dixième	**centi** signifie un centième	**milli** signifie un millième
Nom de l'unité de longueur	kilomètre	hectomètre	décamètre	mètre	décimètre	centimètre	millimètre
Symbole	km	hm	dam	m	dm	cm	mm
Valeur par rapport au mètre	1000 m	100 m	10 m	1 m	0,1 m	0,01 m	0,001 m
Ex. :	Distance parcourue en 10 min de marche rapide	Longueur d'un terrain de soccer	Largeur d'un terrain de tennis	Un grand pas	Largeur de la main	Largeur de l'ongle de l'auriculaire	Épaisseur d'une pièce de 10 ¢

Chaque unité possède une valeur qui est 10 fois plus élevée que la valeur de l'unité placée immédiatement à sa droite et le dixième de la valeur de l'unité placée immédiatement à sa gauche.

$$\div 10 \quad \div 10 \quad \div 10 \quad \div 10 \quad \div 10 \quad \div 10$$

$$\textbf{km} \quad \textbf{hm} \quad \textbf{dam} \quad \textbf{m} \quad \textbf{dm} \quad \textbf{cm} \quad \textbf{mm}$$

$$\times 10 \quad \times 10 \quad \times 10 \quad \times 10 \quad \times 10 \quad \times 10$$

Ex. : 1) 6,7 dm = 67 cm, car il y a 10 cm dans 1 dm.

2) 436 dm = 43,6 m, car il y a 10 dm dans 1 m.

3) 56,9 km = 569 000 dm, car il y a 10 000 dm dans 1 km.

Multiplication d'un nombre par une puissance de 10 supérieure à 1

Lorsqu'on multiplie un nombre par 10, 100, 1000, ..., chacun des chiffres du produit a une valeur 10, 100, 1000, ..., fois plus grande que celle qu'il avait dans le facteur.

Ex. :

	unités de mille	centaines	dizaines	unités	,	dixièmes	centièmes
6,78 × 1 =				6	,	7	8
6,78 × 10 =			6	7	,	8	
6,78 × 100 =		6	7	8			
6,78 × 1000 =	6	7	8	0			

Multiplier un nombre par 10, 100, 1000, ..., revient à déplacer chacun des chiffres du nombre de 1, 2, 3, ..., positions vers la gauche.

Calepin des **savoirs**

Division d'un nombre par une puissance de 10 supérieure à 1

Lorsqu'on divise un nombre par 10, 100, 1000, …, chacun des chiffres du quotient a une valeur 10, 100, 1000, …, fois plus petite que celle qu'il avait dans le dividende.

Ex. :

		dizaines	unités	,	dixièmes	centièmes	millièmes	dix-millièmes	cent-millièmes
85,26 ÷ 1	=	8	5	,	2	6			
85,26 ÷ 10	=		8	,	5	2	6		
85,26 ÷ 100	=		0	,	8	5	2	6	
85,26 ÷ 1000	=		0	,	0	8	5	2	6

Multiplication d'un nombre par une puissance de 10 inférieure à 1

Multiplier un nombre par 0,1, 0,01, 0,001, …, revient à diviser respectivement ce nombre par 10, 100, 1000, …

Ex. : $62,7 \times 0,1 = 62,7 \times \dfrac{1}{10} = \dfrac{62,7 \times 1}{10} = 6,27$

> Diviser un nombre par 10, 100, 1000, …, revient à déplacer chacun des chiffres du nombre de 1, 2, 3, …, positions vers la droite.

Division d'un nombre par une puissance de 10 inférieure à 1

Diviser un nombre par 0,1, 0,01, 0,001, …, revient à multiplier respectivement ce nombre par 10, 100, 1000, …

Ex. : $56,98 \div 0,1 = 56,98 \div \dfrac{1}{10} = 56,98 \times \dfrac{10}{1} = 569,8$

1. Effectue mentalement les opérations suivantes.

   a) $7,8 \times 100$ b) $21 \div 1000$ c) $1,25 \times 0,1$ d) $10\,000 \times 46,1$

   e) $12,3 \div 10$ f) $89,567 \div 0,001$ g) $0,79 \times 0,01$ h) $0,42 \div 0,01$

2. Indique l'unité de longueur la plus appropriée pour mesurer :

   a) la largeur de ton pupitre ;   b) la distance entre deux villes ;

   c) la longueur d'une fourmi ;   d) la hauteur de ton école.

3. Combien y a-t-il de :

   a) centimètres dans un décamètre ?

   b) décimètres dans un hectomètre ?

   c) kilomètres dans un centimètre ?

   d) décamètres dans un millimètre ?

4. Place la virgule au bon endroit dans le nombre afin que la mesure ait du sens.

   a) L'homme le plus grand du monde, Radhouane Charbib (Tunisie), mesure 2359 m.

   b) Michael Schumacher a remporté le Grand Prix d'Australie de 2004 en roulant à une vitesse moyenne de 21901 km/h.

   c) Une abeille ouvrière mesure, en moyenne, 14 cm.

   d) Long d'environ 16 hm, le pont Saint-Bénezet, mieux connu sous le nom de « pont d'Avignon », n'est aujourd'hui constitué que de 4 des 22 arches d'origine.

Rendu célèbre par la chansonnette *Sur le pont d'Avignon,* le pont Saint-Bénezet est le plus vieil ouvrage construit sur le Rhône. Bâti au 12e siècle, il était long de 900 m. Il s'effondra durant le règne de Louis XIV (le Roi-Soleil), et ne fut jamais reconstruit.

5. Lorsqu'on connaît la signification des préfixes du SI, on peut convertir les unités de masse et de volume de la même façon que les unités de longueur. Ainsi 47 décalitres (daL) correspondent à 470 litres (L), et 4,56 centigrammes (cg) correspondent à 0,0456 gramme (g).

   Complète les égalités suivantes.

   a) 165 cm = ▓ m

   b) 0,4 km = ▓ mm

   c) 57,6 dm = ▓ dam

   d) 0,89 hg = ▓ g

   e) 1,22 L = ▓ daL

   f) 1652,8 dag = ▓ cg

6. Dans 34,812 dam, le chiffre 3 a une valeur de 3 hm. Détermine la valeur des chiffres 2, 4 et 8 dans :

   a) 34,812 m

   b) 34,812 hm

   c) 34,812 km

7. Complète chaque expression avec l'unité appropriée afin de valider l'égalité.

   a) 7680 m = 7,68 ▓

   b) 8,7 hL = 870 ▓

   c) 1,72 g = 1720 ▓

8. Dans un système décimal comme le SI, on peut écrire un nombre sans utiliser de virgule : il suffit de changer l'unité. Par exemple, 7,89 m peut s'écrire 789 cm.

   Écris les mesures suivantes sans utiliser de virgule en choisissant, dans chaque cas, l'unité de mesure appropriée.

   a) 56,8 cm

   b) 7,12 km

   c) 0,78 daL

   d) 123,789 g

9. PHYSIQUE L'unité de mesure d'énergie nommée « calorie » ne fait plus partie du système international d'unités depuis le 1er janvier 1978, même si elle est encore parfois utilisée. L'unité de mesure d'énergie du SI est le joule. Une calorie équivaut à environ 4,2 joules.

Combien de joules une personne qui mange une pomme comptant 53 calories absorbe-t-elle?

Un joule (J) correspond à la quantité d'énergie nécessaire pour élever deux balles de golf d'une hauteur de 1 m. L'unité de mesure fut nommée en l'honneur de James Prescott Joule (1818-1889), un physicien britannique ayant mené de nombreux travaux sur l'énergie et la chaleur.

10. Place dans l'ordre croissant les mesures suivantes.

| 4,5 km | 435 cm | 43,2 m | 451 678 cm | 44 hm |

11. Détermine le périmètre des figures suivantes.

a)

12 mm

0,3 cm

b)

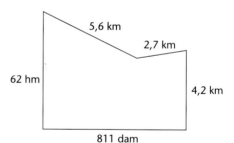

5,6 km

2,7 km

62 hm

4,2 km

811 dam

12. Exprime les vitesses suivantes en mètres par seconde (m/s).

a) 12 km/s   b) 1453 m/h   c) 52 km/h

13. VITESSE DE LA LUMIÈRE La lumière se déplace à une vitesse d'environ 300 000 000 m/s. En combien de temps la lumière nous parvient-elle du Soleil si la distance entre le Soleil et la Terre est d'environ une unité astronomique?

Une unité astronomique (U. A.) vaut 150 millions de kilomètres et représente la distance entre la Terre et le Soleil.

U. A.

14. VITESSE DU SON Dans l'air, au niveau de la mer et à une température de 0 °C, le son voyage à une vitesse approximative de 331 m/s. Combien de kilomètres le son parcourt-il en une heure dans les mêmes conditions?

15. Exprime en décimètres 15 % de 153 mm.

16. INFORMATIQUE L'unité de base permettant de mesurer la capacité de mémoire en informatique est appelée l'«octet». Complète les égalités suivantes.

1000 octets = 1 kilo-octet (ko)
1000 ko = 1 mégaoctet (Mo)
1000 Mo = 1 gigaoctet (Go)
1000 Go = 1 téraoctet (To)

   a) 1200 ko = ▭ Go

   b) 56,8 To = ▭ Mo

   c) 6552 Mo = ▭ ko

   d) 78 954 octets = ▭ Go

Le terme «octet» est la traduction du mot anglais *byte*. Un disque compact peut emmagasiner 700 Mo et un DVD peut contenir 4,7 Go.

17. PROMENADE DES CÉLÉBRITÉS
Sur le trottoir du Hollywood Boulevard, à Los Angeles, on trouvait en 2004 environ 2200 étoiles réparties également sur à peu près 3 km, de chaque côté de la rue. En moyenne, quelle distance sépare deux étoiles si chaque étoile est gravée dans une dalle carrée de 52,8 cm de côté?

En 2004, Mickey Mouse, Bugs Bunny, Blanche-Neige et les Simpson étaient les seuls personnages imaginaires à avoir leur étoile sur la promenade des célébrités.

18. On veut reproduire le drapeau de Madagascar à l'aide d'un rectangle mesurant 2,7 cm sur 1,8 cm. Chacune des bandes de couleur occupe le tiers du drapeau.

Reproduis le drapeau de Madagascar en y inscrivant les différentes mesures en millimètres.

19. Deux amis sont partis de leur maison respective et se sont donné rendez-vous à la piste de planche à roulettes.

David et Maya habitent-ils à égale distance de la piste? Explique ta réponse.

J'ai marché à une vitesse constante de 3 km/h et il m'a fallu 1 h 18 min pour me rendre à la piste.

Moi, j'ai marché à une vitesse constante de 1,5 m/s et il m'a fallu 54 min pour m'y rendre.

David

Maya

Société des maths

Sa vie

Simon Stevin est né à Bruges au début de la Renaissance. Après avoir voyagé en Pologne, en Prusse et en Norvège, il s'établit aux Pays-Bas, où il mourut en 1620. Au cours de sa vie, Stevin exerça plusieurs professions, dont celles d'ingénieur, de physicien, de professeur de mathématique, de militaire et d'administrateur des finances.

Il fit ses études à l'université de Leiden (Pays-Bas) à partir de 1583. C'est là qu'il rencontra Maurice, comte de Nassau. Quelques années plus tard, Maurice triompha des forces espagnoles grâce à Stevin, qui lui proposa des stratégies militaires et de nouvelles technologies. Une de ses plus célèbres inventions fut un char à voile carrée qui pouvait atteindre une vitesse de 40 km/h avec un équipage de 29 personnes.

Simon Stevin
(1548-1620)

Le char à voile
de Stevin (1601)

Sa contribution à la mathématique

Simon Stevin a écrit 11 livres portant sur des sujets aussi différents que la trigonométrie, l'arithmétique, l'algèbre, la mécanique, l'architecture, la musique, la géographie, la fortification et la navigation. C'est en 1585 qu'il publia l'œuvre ayant eu le plus d'influence, *La Disme,* qui signifie « le dixième ». Il s'agit d'un petit livre de 29 pages où il présente les nombres décimaux et leurs nombreux avantages pour les calculs par rapport aux fractions. Stevin n'a pas inventé les nombres décimaux, puisqu'ils étaient déjà utilisés par les Arabes et les Chinois, mais c'est grâce à lui qu'ils furent introduits en Europe.

Ainsi, dans ce livre, Stevin proposa de traduire $86\frac{579}{1000}$ par $86⓪5①7②9③$.

Dans l'écriture des nombres décimaux proposée par Stevin, le chiffre entouré indique la position du chiffre placé immédiatement à sa gauche.

De nos jours, ce nombre s'écrit tout simplement 86,579.

Le **0** indique la position des unités, donc le 6 vaut 6×10^0.

Le **1** indique la position des dixièmes, donc le 5 vaut $5 \times \frac{1}{10^1}$.

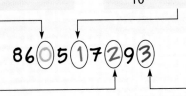

Le **2** indique la position des centièmes, donc le 7 vaut $7 \times \frac{1}{10^2}$.

Le **3** indique la position des millièmes, donc le 9 vaut $9 \times \frac{1}{10^3}$.

Simon Stevin

Le système décimal

À l'époque, Stevin affirmait que ce n'était qu'une question de temps avant que les systèmes monétaires, de poids et de mesures soient basés sur les nombres décimaux. Il serait sûrement surpris de savoir qu'au 21e siècle, certains pays n'utilisent toujours pas le système décimal!

Près de deux siècles après que Stevin eut écrit *La Disme*, l'Américain Thomas Jefferson s'en inspira pour proposer aux États-Unis un système monétaire décimal. La pièce américaine de 10 ¢ porte d'ailleurs encore le nom de *dime* de nos jours.

Stevin fut un scientifique et un mathématicien influent de son époque. Bien sûr, la notation des nombres décimaux évoluera: en 1608, le Néerlandais Willebrord Snellius proposa la virgule pour séparer la partie entière de la partie décimale d'un nombre.

Thomas Jefferson
(1743-1826)

1 À quel âge Simon Stevin entra-t-il à l'université de Leiden?

2 Écris à l'aide de la notation décimale actuelle les nombres suivants.

a) 1⓪8①5②

b) 79⓪5①8②4③

c) 7①9④

3 Écris les fractions décimales suivantes sous la forme de nombres décimaux à la manière de Stevin.

a) $\dfrac{17}{100}$ b) $\dfrac{5343}{1000}$

4 Effectue les opérations suivantes et donne ta réponse à l'aide de l'écriture de Stevin.

a) 6⓪5①8② + 741⓪6①3②

b) 51⓪3①9③ − 4⓪6②

5 Qui est Thomas Jefferson?

6 Nomme un pays qui, de nos jours, n'utilise pas les nombres décimaux dans son système monétaire ou dans son système de poids et mesures.

On trouve une statue de Simon Stevin à Bruges, sa ville natale.

À qui ça sert ?

Une profession sportive

Les gens qui assurent la direction d'une équipe de sport administrent et dirigent les activités de toutes les personnes qui entourent l'équipe ou qui en font partie. Ils s'occupent, entre autres, du recrutement, des échanges, des finances, des salaires, des commandites et de l'organisation des voyages. Ils doivent prendre les meilleures décisions afin d'assurer la réussite de l'équipe.

Pour exercer cette profession, une personne doit bien connaître le sport et être compétente en administration. Elle doit être persuasive, audacieuse, déterminée et sociable. Elle doit aimer calculer et négocier, car elle travaille autant avec des nombres qu'avec des personnes.

Le dépistage

Il existe plusieurs façons de dépister le talent d'un ou d'une athlète. Une des méthodes utilisées est de suivre les athlètes et de tenir des statistiques de leurs performances. En gymnastique, par exemple, le directeur ou la directrice agira selon les besoins de son équipe. Ainsi, il ou elle sélectionnera des gymnastes très performants au sol ou sur les appareils, des gymnastes très jeunes ou d'expérience. Les statistiques l'aideront à prendre une décision ; elles compléteront les résultats de son observation des athlètes en compétition.

Voici deux exemples d'informations que les directeurs et les directrices d'équipe pourraient utiliser. L'un concerne le plongeon et l'autre, le hockey.

Compétition de plongeon
Notes

Plongeon 1	c. d.	1	2	3	4	5
Plongeuse A	2,3	9,8	9,7	9,5	10	9,9
Plongeuse B	3,2	7,9	8,0	7,8	8,1	8,0

Plongeon 2	c. d.	1	2	3	4	5
Plongeuse A	2,6	10	10	10	9,9	9,9
Plongeuse B	3,1	8,3	8,4	8,3	8,5	8,3

Plongeon 3	c. d.	1	2	3	4	5
Plongeuse A	2,9	9,0	9,2	9,1	9,2	9,1
Plongeuse B	2,9	9,5	9,6	9,6	9,5	9,5

Plongeon 4	c. d.	1	2	3	4	5
Plongeuse A	2,5	9,0	9,3	9,1	9,2	9,2
Plongeuse B	2,8	7,4	7,8	7,9	8,1	8,0

Plongeon 5	c. d.	1	2	3	4	5
Plongeuse A	3,4	7,9	8,1	8,2	7,8	8,0
Plongeuse B	3,1	9,8	9,7	9,6	9,8	9,5

c. d. Coefficient de difficulté du plongeon. De 1,4 (facile) à 3,7 (difficile).

Classement final – Ligue nationale de hockey
Saison 2003-2004 – Section Nord-Est

Équipe	Nombre de parties jouées	Nombre de victoires	Nombre de défaites	Nombre de parties nulles	Moyenne but pour	Moyenne but contre
Maple Leafs	82	45	27	10	2,95	2,49
Bruins	82	41	26	15	2,55	2,29
Sénateurs	82	43	29	10	3,2	2,3
Canadiens	82	41	34	7	2,54	2,34
Sabres	82	37	38	7	2,68	2,7

Directeur ou directrice d'équipe de sport

Les finances

Les directeurs et les directrices d'équipe de sport doivent également gérer des budgets. Par exemple, le directeur de l'équipe de football de Montréal, les Alouettes, doit composer avec des contraintes budgétaires. Le salaire moyen d'un joueur de football dans la Ligue canadienne de football est de 45 136,54 $, et le plafond salarial d'une équipe est fixé à 2,2 millions de dollars. Les Alouettes comptent 56 joueurs.

Les directeurs et les directrices d'équipe de sport doivent rédiger des rapports sur les revenus générés par la vente de billets et de produits dérivés afin d'établir des stratégies de publicité ou de commandite.

Voici le diagramme que pourrait produire le directeur ou la directrice des Alouettes.

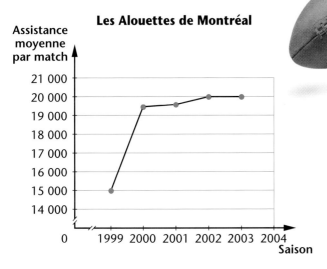

Les Alouettes de Montréal

Assistance moyenne par match / Saison

Les Alouettes ont joué plus de 50 matchs consécutifs à guichets fermés au stade Percival-Molson. Ils ont même joué à guichets fermés au Stade olympique en finale de division, en 2003.

Les Blitz de Montréal.

À qui ça sert ? 113

À TOI DE JOUER

1 Est-ce que tous les joueurs des Alouettes ont un salaire au moins équivalent au salaire moyen de la Ligue canadienne de football ? Explique ta réponse.

2 Pour déterminer le pointage d'un plongeon, il faut :
- enlever la note la plus élevée et la note la plus basse ;
- additionner les trois notes restantes ;
- multiplier la somme par le coefficient de difficulté.

a) Selon les résultats du tableau de la page précédente, quelle plongeuse a gagné la compétition ?

b) Si tu dirigeais une équipe de plongeon, quelle plongeuse recruterais-tu ? Pourquoi ?

3 Selon les données du tableau de la LNH, quelle équipe a la meilleure offensive ? Explique ta réponse.

À TOI DE CHERCHER

4 Au football, à combien de mètres une verge équivaut-elle ?

5 Commente l'évolution des assistances au football à Montréal à l'aide du diagramme fourni, et prolonge ce diagramme jusqu'à aujourd'hui. Quelles conclusions pourrait en tirer un directeur ou une directrice d'équipe ?

1. Écris en chiffres chacun des nombres décimaux suivants.

   a) La vitesse moyenne d'un homme à la nage est de trois kilomètres vingt-quatre centièmes par heure.

   b) La vitesse moyenne d'un escargot est de quarante-huit dix millièmes de kilomètre par heure.

   c) La probabilité de gagner le gros lot à la Lotto 6/49 est inférieure à un dix millionièmes.

2. Écris en toutes lettres les nombres en rouge dans les énoncés suivants.

   a) Le diamètre moyen d'un atome est de 0,000 000 000 3 mm.

   b) En 2002, à Paris, Tim Montgomery a fracassé le record du monde, à l'époque, de la course de 100 m. Il a parcouru cette distance en 9,78 s.

Tim Montgomery

3. MASSE VOLUMIQUE L'eau a une masse volumique de 1,00 g/mL. Tous les liquides non solubles dans l'eau ayant une masse volumique plus petite flottent sur l'eau, et ceux ayant une masse volumique plus grande coulent.

   On verse les deux liquides suivants dans un bocal d'eau.

Liquide	Masse volumique
Sirop de maïs	1,38 g/mL
Huile d'olive	0,92 g/mL

   Au bout de quelques secondes, on s'aperçoit que les trois liquides ne se mélangent pas. Fais un dessin montrant l'ordre des liquides dans ce bocal.

Libye

Antarctique

4. LES RECORDS DE TEMPÉRATURE La température la plus basse fut enregistrée à la station russe Vostok, en Antarctique. Elle était de -89,2 °C. La température la plus chaude fut enregistrée à El Aziza, dans le nord du Sahara, en Libye. Le thermomètre était monté jusqu'à 58,1 °C. Quelle est la différence de température entre ces deux données extrêmes ?

La température moyenne de la planète est de 16,9 °C.

5. SANTÉ L'espérance de vie d'une personne qui fume raccourcit de 1,5 min à chaque cigarette fumée. Combien de minutes de vie cette personne perd-elle en une semaine si elle fume 7 cigarettes par jour ?

6. On dit que la durée idéale de trempage d'un biscuit dans une tasse de thé est de 3,5 s. Combien de temps cela prendra-t-il pour manger l'un à la suite de l'autre 3 biscuits trempés parfaitement dans le thé si :

- on les trempe juste avant de les manger,

- on prend 45 s pour manger un biscuit,

- on attend 10 s avant de faire tremper le prochain biscuit ?

7. Xavier participe à un tournoi de « génies en herbe ». Il choisit au hasard un sujet parmi géographie, sciences, arts, histoire et sport, puis un autre parmi politique, logique, littérature et anagramme.

a) Xavier veut connaître la probabilité que la première question porte sur l'histoire et la deuxième, sur la littérature. Écris le calcul à effectuer à l'aide :

1) de fractions ;

2) de pourcentages ;

3) de nombres décimaux.

b) Détermine la probabilité de l'événement décrit en a).

c) Pour déterminer la probabilité à la question b), est-il plus facile de travailler avec des nombres écrits sous la forme de fractions, de pourcentages ou de nombres décimaux ? Explique ta réponse.

Anagramme : mot que l'on forme à l'aide des lettres d'un autre mot. Par exemple, « crainte » est une anagramme de « certain ». Trouve une anagramme de « souple ».

8. Écris chacune de ces durées en heures à l'aide de la notation décimale.

a) 4 h 18 min   b) 3 h 32 min   c) 220 min

9. CONSOMMATION Sur un bateau de croisière, on utilise, par semaine, environ :

- 4550 kg de poulet;
- deux fois plus de bœuf que de poulet;
- 48 000 œufs de 50 g chacun.
- Tous les autres produits nécessaires à la cuisine représentent, quant à eux, une masse équivalant à 0,75 de celle du bœuf.

S'il y a 4060 personnes à nourrir à bord, détermine la masse moyenne de nourriture disponible par personne.

En 2004, le *Queen Mary II* était le plus grand paquebot du monde. Il est long de 345 m, large de 41 m et haut de 74 m, répartis en 15 ponts, soit l'équivalent d'un immeuble de 23 étages.

10. Il y a 16 gouttes d'eau dans 5 mL d'eau. Combien de gouttes d'eau y a-t-il dans un kilolitre d'eau?

11. Quelle diminution ou quelle augmentation subit chaque nombre si on l'arrondit au centième près?

   a) 3,241   b) 8,786   c) 7,999   d) -8,943

12. Pourquoi la calculatrice n'affiche-t-elle pas un produit avec trois décimales quand on effectue la multiplication suivante : 40 000 × 0,178?

13. Voici un arbre des probabilités illustrant le lancer de deux pièces de monnaie truquées.

   a) Complète l'arbre des probabilités.

   b) Quelle est la probabilité d'obtenir face avec ces deux pièces?

   c) Est-ce que la probabilité d'obtenir pile avec la première pièce et face avec la seconde est égale à la probabilité d'obtenir face avec la première pièce et pile avec la seconde? Explique ta réponse.

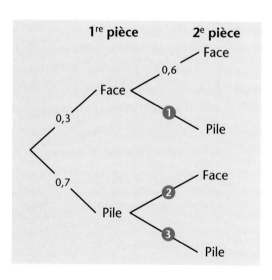

14. Xavier a parcouru 15,6 km en 1,2 h et Fabienne a parcouru 16,8 km en 1,3 h. Qui court le plus vite?

15. Dans une serre, on trouve 6 rosiers dont les hauteurs sont indiquées dans le diagramme ci-contre. Détermine la hauteur moyenne des rosiers dans cette serre.

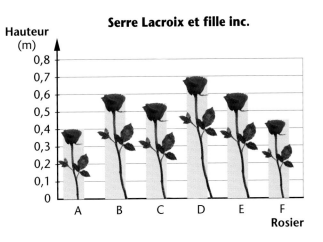

Serre Lacroix et fille inc.

16. À combien reviendra un livre étiqueté à 32,99 $ après qu'on aura ajouté les taxes de 15,025 % sur le coût du livre ?

17. Remplace chaque ■ par une unité de longueur afin de valider l'égalité.

4,5 ■ + 55 ■ + 0,78 ■ = 46,33 m

18. Jules veut offrir des boucles d'oreilles à sa copine pour son anniversaire. Comme il ne veut pas qu'elle devine la nature du cadeau en voyant la boîte, il décide de mettre la petite boîte cubique dans une autre boîte cubique plus grande, puis dans une autre, et ainsi de suite. Il dispose de 5 boîtes.

Il désire mettre un ruban sur chaque boîte cubique, comme l'illustre le dessin ci-dessous.

- La mesure de l'arête de la plus grande boîte est de 21,8 cm.
- Chacune des boîtes suivantes a une arête mesurant 4,2 cm de moins que la précédente.
- Le ruban coûte 1,79 $ le mètre.

Quel sera le coût du ruban après avoir payé les taxes ?

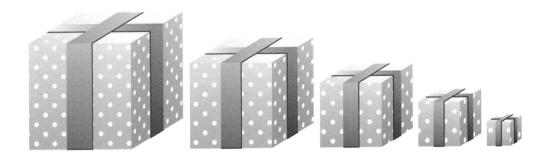

19. Quelle expression n'équivaut pas aux deux autres?

$$\frac{2\ \%}{5} \qquad \frac{2}{5\ \%} \qquad \frac{2}{5}\ \%$$

20. En 2005, les taxes au Québec étaient de 15,025 %. Ce pourcentage de taxes est obtenu en combinant le pourcentage de la TPS avec celui de la TVQ.
Le pourcentage de la taxe sur les produits et services (TPS) était de 7, et celui de la taxe de vente du Québec (TVQ) était de 7,5. Comment la combinaison de ces deux pourcentages peut-elle donner 15,025 % ?

21. Jocelyne a reproduit sur une grande toile le dessin ci-dessous, qu'elle a trouvé sur une carte postale. Jusqu'à maintenant, a-t-elle agrandi correctement le dessin? Explique ta réponse.

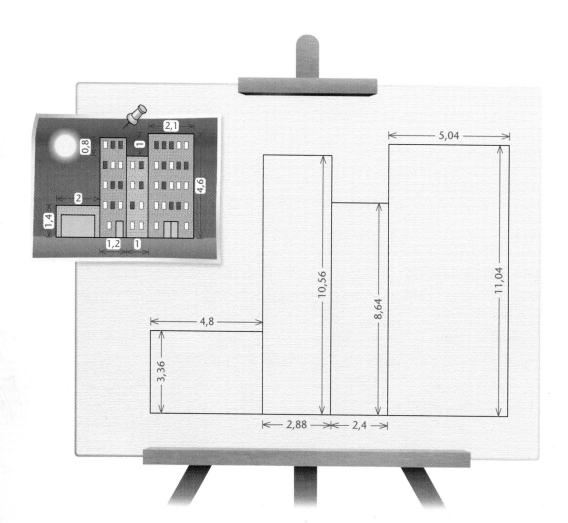

Panorama 7

Des suites numériques aux équations

La mathématique englobe plusieurs domaines tels que l'arithmétique, la statistique, la géométrie et les probabilités. À cette liste s'ajoute l'algèbre, qui consiste à combiner, dans une même expression, des nombres, des opérations et des lettres. Mais que signifient ces lettres? Pourquoi utilise-t-on des lettres dans certaines expressions mathématiques? Dans ce panorama, tu te familiariseras avec l'algèbre, tu apprendras à généraliser des situations à l'aide d'expressions algébriques, à utiliser des formules et à résoudre des équations. Tu analyseras aussi des suites comportant des régularités, et ce, à l'aide de divers modes de représentation.

PROJET

Balles et rebonds

Société des maths

Leonardo Pisano Fibonacci

À qui ça sert ?

Concepteur ou conceptrice de jeux vidéo

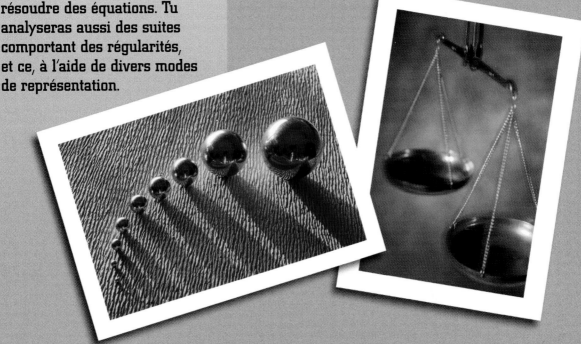

Balles et rebonds

La plupart des balles et des ballons sont fabriqués avec du caoutchouc. Cette matière est reconnue pour son élasticité, c'est-à-dire qu'elle reprend sa forme initiale après avoir été déformée. C'est cette propriété du caoutchouc qui permet aux balles et aux ballons de rebondir.

Mandat général proposé

Ce projet porte sur l'étude du mouvement d'une balle, ou d'un ballon, qui rebondit. Tu auras à faire rebondir une balle ou un ballon, à collecter des données et à décrire mathématiquement les rebondissements. Le déroulement de ce projet comporte plusieurs parties.

- **Partie 1 :** Organisation de l'expérience.
- **Partie 2 :** Expérience du rebondissement d'une balle.
- **Partie 3 :** Analyse des suites de rebonds.
- **Partie 4 :** La balle qui ne s'essouffle jamais.
- **Partie 5 :** Le dribble.

Mise en train

1. Suggère différents moyens de comparer le rebondissement de deux balles.

2. D'après toi, les éléments suivants ont-ils un effet sur le rebondissement d'une balle ? Explique pourquoi.

   a) Le type de balle.

   b) La hauteur d'où on laisse tomber la balle.

   c) La façon de laisser tomber la balle.

   d) La surface sur laquelle la balle rebondit.

Conserve les réponses à ces questions. Elles t'aideront à réaliser les autres parties du projet.

3. Émets une hypothèse sur la hauteur des bonds successifs d'une balle.

Partie 1 : Organisation de l'expérience

Dans l'expérience du rebondissement d'une balle (partie 2),
tu auras à mesurer la hauteur des rebonds d'une balle qu'on laisse
tomber sur le sol. Pour être capable de collecter des données
précises sur un objet en mouvement, il faut bien s'organiser!

Mandat proposé

Établir les étapes de réalisation de l'expérience.

Tu dois indiquer le matériel nécessaire et préciser le rôle
de chaque membre de l'équipe.

Pistes d'exploration...

■ Quels sont les instruments de mesure nécessaires
à la collecte des données?

■ As-tu prévu la disposition des membres de
l'équipe et du matériel par rapport à la balle
qui rebondit?

■ Quelles sont les caractéristiques de la balle?
Du sol?

N'hésite pas à mettre à l'épreuve les étapes de réalisation de l'expérience avant de procéder à la collecte des données. Tu peux faire quelques tentatives pour vérifier l'efficacité du matériel et l'implication de chaque membre de l'équipe. Au besoin, apporte des modifications.

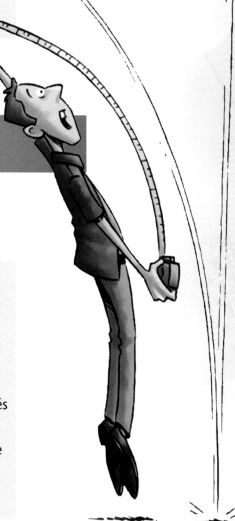

Partie 2 : Expérience du rebondissement d'une balle

Voici maintenant le temps de réaliser l'expérience de la balle
qui rebondit.

Mandat proposé

**Déterminer la hauteur des quatre premiers rebonds
d'une balle qu'on laisse tomber sur le sol.**

Tu dois réaliser l'expérience pour trois hauteurs initiales
différentes.

Pistes d'exploration...

■ Si la hauteur initiale choisie est très basse, quelles difficultés
présente la collecte des données?

■ Pour obtenir des résultats plus fiables, as-tu pensé à refaire
l'expérience plusieurs fois?

■ As-tu utilisé un tableau pour organiser tes données?

Partie 3 : Analyse des suites de rebonds

L'expérience de la balle qui rebondit t'a permis de bâtir trois suites de nombres. À partir de celles-ci, on peut faire plusieurs observations, par exemple calculer le pourcentage de rebondissements de la balle.

Mandat proposé

À l'aide des suites obtenues, établir le pourcentage de rebondissements d'une balle.

PISTES D'EXPLORATION...

■ En quoi les suites obtenues sont-elles différentes ? En quoi sont-elles semblables ?

■ Pourrais-tu utiliser un graphique pour comparer ces suites ?

■ Le pourcentage de rebondissements d'une balle est-il toujours le même ?

Le pourcentage de rebondissements d'une balle correspond au quotient $\frac{\text{hauteur d'un bond}}{\text{hauteur du bond précédent}}$. Par exemple, un pourcentage de rebondissements de 80 % indique que la hauteur de chaque rebond d'une balle équivaut à 80 % de la hauteur du bond précédent.

PROJET
Au besoin, consulte les unités 7.1 et 7.2 qui traitent des suites.

Partie 4 : La balle qui ne s'essouffle jamais

On dit qu'une situation est paradoxale lorsqu'on peut en tirer deux conclusions contraires.

Mandat proposé

En ajoutant plusieurs termes aux suites obtenues, on remarque que la balle ne devrait jamais cesser de rebondir. En est-il de même dans la réalité ? Expliquer ce paradoxe.

PISTE D'EXPLORATION...

■ As-tu comparé tes conclusions à celles d'autres élèves ?

Est-ce qu'elle bouge encore d'après toi ?

Selon mes calculs, ça devrait.

PROJET
Au besoin, consulte les unités 7.1 et 7.2, qui traitent des suites.

Partie 5 : Le dribble

Au basket-ball, le dribble est l'action qui permet de faire rebondir le ballon à l'aide de sa main. Cette dernière partie du projet te permettra de mesurer ton habileté à dribbler.

Mandat proposé

Déterminer une expression qui permet de calculer le nombre de bonds que fait une balle ou un ballon en dribblant pendant un temps quelconque.

Tu dois maintenir la main qui dribble à la hauteur de ta taille.

Pistes d'exploration...

- Ton habileté à dribbler est-elle la même pour chaque main ?

- Ton habileté à dribbler est-elle la même selon le type de ballon ou de balle que tu utilises ?

- As-tu réalisé quelques expériences pour déterminer l'expression demandée ?

- Une table de valeurs ou un graphique pourraient-ils t'aider à analyser ton habileté à dribbler ?

- Existe-t-il une régularité dans cette situation ?

- L'expression que tu as établie permet-elle de calculer le nombre de bonds pour n'importe quelle période de temps et vice versa ?

> **PROJET**
> Au besoin, consulte les unités 7.2 et 7.3, qui traitent des règles.

Bilan du projet : Balles et rebonds

Présente les principales découvertes que tu as faites au cours de ce projet. Cette présentation devra contenir :

- l'organisation et le déroulement de l'expérience du rebondissement d'une balle ;
- les difficultés éprouvées lors des expériences et les solutions apportées ;
- les suites obtenues ;
- le pourcentage de rebondissements de la balle ;
- une explication du paradoxe de « La balle qui ne s'essouffle jamais » ;
- l'expression représentant ton habileté à dribbler accompagnée d'une explication.

Cette unité t'aidera à réaliser les parties 3 et 4 de ton projet.

SITUATION-PROBLÈME Où est mon père ?

Les abeilles reproductrices peuvent pondre des œufs qui ont été fécondés par un mâle et d'autres qui ne l'ont pas été. Les œufs fécondés donnent naissance à des femelles et les œufs non fécondés, à des mâles.

Cette particularité génétique permet de tirer une conclusion surprenante : les abeilles mâles n'ont pas de père ! Voici l'arbre des ancêtres d'une abeille mâle :

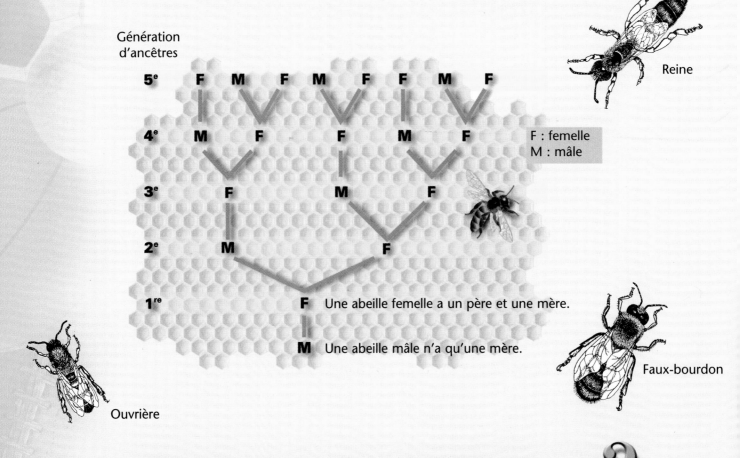

Reine

Génération d'ancêtres

5ᵉ F M F M F F M F

4ᵉ M F F M F

F : femelle
M : mâle

3ᵉ F M F

2ᵉ M F

1ʳᵉ F Une abeille femelle a un père et une mère.

M Une abeille mâle n'a qu'une mère.

Ouvrière

Faux-bourdon

Combien d'ancêtres de 15ᵉ génération une abeille mâle a-t-elle ?

PISTES D'EXPLORATION...

- As-tu reformulé la situation dans tes mots ?
- As-tu ajouté une ou plusieurs lignes à l'arbre des ancêtres ?
- Compléter l'arbre des ancêtres jusqu'à la 15ᵉ génération serait-il efficace ?
- As-tu noté le nombre d'ancêtres à chaque génération ?

ACTIVITÉ 1 — Dis-moi ta régularité et je te dirai qui tu es !

a. On demande à deux élèves d'écrire trois suites de quatre termes :

1) dans la première, chaque terme est le triple du terme précédent ;

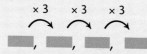

■, ■, ■, ■

2) dans la deuxième, le premier terme est 5 ;

5, ■, ■, ■

3) dans la troisième, le premier terme est 4 et les autres termes sont obtenus en additionnant 7 au terme précédent.

+7 +7 +7

4, ■, ■, ■

À ton avis, produiront-ils ou elles la même suite dans chaque cas ?

b. Quels sont les éléments qui permettent de décrire parfaitement une suite numérique ?

Il existe plusieurs sortes de suites numériques. En voici quelques-unes :

Suite A : 5, 7, 9, 11, ...

Suite B : 3, ⁻6, 12, ⁻24, ...

Suite C : 61, 56, 51, 46, ...

Suite D : 4253 ; 425,3 ; 42,53 ; ...

Suite E : 1, 3, 9, 27, ...

Suite F : 9, 9, 9, 9, ...

c. Pour chacune des suites ci-dessus :

1) détermine la régularité qui permet d'obtenir un terme à partir du précédent ;

2) donne les deux termes suivants.

d. Ces suites sont de différents types. Laquelle ou lesquelles sont :

1) croissantes ?   2) décroissantes ?   3) constantes ?

e. Décris les suites A, B, C, D, E et F pour qu'une personne puisse les reproduire à l'aide de ta description.

Voici quelques suites numériques représentées sous différentes formes :

Suite 1 : Dessin

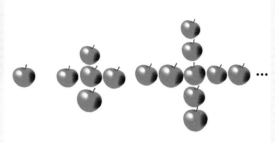

Suite 2 : En mots

Le premier terme est 3 et chacun des autres termes est égal au carré du terme précédent.

Suite 3 : Table de valeurs

Suite numérique

Rang	Terme
1	4
2	1
3	-2
4	-5
...	...

Suite 4 : Graphique

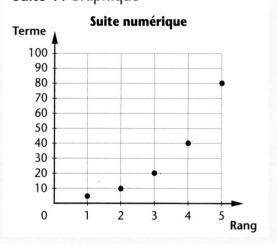

a. Détermine la régularité de chacune des suites ci-dessus.

b. Dans laquelle de ces suites le sixième terme est-il le plus élevé ?

c. Associe les représentations suivantes à l'une des suites illustrées ci-dessus.

1)

Suite numérique

Rang	Terme
...	...
10	2 560
11	5 120
12	10 240
13	20 480
...	...

2)

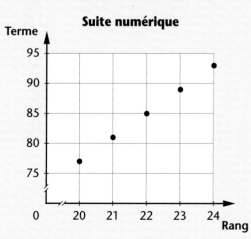

d. Si on illustrait les suites **1**, **2** et **3** à l'aide de graphiques, lesquels présenteraient une série de points alignés ?

Calepin des **savoirs**

Suite numérique

Dans une suite numérique, chacun des nombres est appelé un **terme**. Chaque terme est associé à un **rang** qui indique sa position dans la suite.

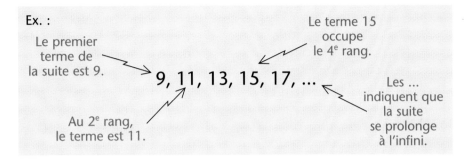

Ex. :

Le premier terme de la suite est 9.

Au 2e rang, le terme est 11.

9, 11, 13, 15, 17, ...

Le terme 15 occupe le 4e rang.

Les ... indiquent que la suite se prolonge à l'infini.

Régularité

Dans une suite numérique, les termes respectent généralement une **régularité** qui permet de décrire la suite et de déterminer d'autres termes. On découvre cette régularité en cherchant le **lien** qui existe entre les termes de la suite.

Ex. :

1) 4, 7, 11, 18, 29, ...

La régularité est : chaque terme est obtenu en additionnant les deux termes précédents.

2) 1,6, 4, 10, 25, ...

× 2,5 × 2,5 × 2,5

La régularité est : chaque terme est obtenu en multipliant le terme précédent par 2,5.

Modes de représentation

Il existe plusieurs façons de représenter une suite numérique.

En voici quelques-unes :

Description en mots	**Dessin**
Une façon de décrire une suite en mots est de donner son premier terme et de décrire sa régularité.	Ce mode de représentation est souvent associé à des constructions géométriques.
Ex. :	Ex. :
Le premier terme d'une suite est 115 et l'on obtient chacun des autres termes en additionnant 50 au terme précédent.	
La suite est : 115, 165, 215, 265, ...	La suite est : 1, 3, 6, 10, ...

Table de valeurs

Qu'elle soit présentée à l'horizontale ou à la verticale, la table de valeurs met en relation le rang et le terme.

Ex. :

Suite numérique

Rang	1	2	3	...
Terme	48	24	12	...

ou

Suite numérique

Rang	Terme
1	48
2	24
3	12
...	...

La suite est : 48, 24, 12, ...

Graphique

Le graphique illustre la relation entre le rang et le terme d'une suite.

Ex. :

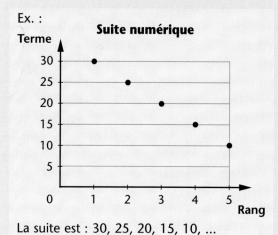

La suite est : 30, 25, 20, 15, 10, ...

Suite arithmétique

Il existe plusieurs sortes de suites. Une suite de nombres où **la différence entre deux termes consécutifs est constante** est appelée **une suite arithmétique**.

Exemples de suites arithmétiques

1) 2, 7, 12, 17, ...
   +5 +5 +5

2) 40, 32, 24, 16, ...
   −8 −8 −8

3) 12, 12, 12, 12, ...
   +0 +0 +0

Exemples de suites non arithmétiques

1) 1, 2, 4, 7, 11, ...
   +1 +2 +3 +4

2) 15, 30, 60, 120, ...
   +15 +30 +60

3) 0, −1, 1, −2, 2, ...
   −1 +2 −3 +4

La représentation **graphique d'une suite arithmétique** est caractérisée par une série de **points alignés**.

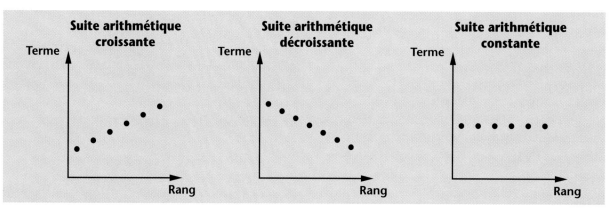

Unité 7.3 : Prenez votre rang

PROJET Cette unité t'aidera à réaliser la partie 5 de ton projet.

SITUATION-PROBLÈME Où est la sortie ?

Dans le cadre d'une expérience sur le comportement des souris, on a utilisé des labyrinthes comportant plusieurs sorties. Cette expérience avait pour but de savoir si une souris utilisait toujours la même sortie. Voici quelques-uns des labyrinthes utilisés :

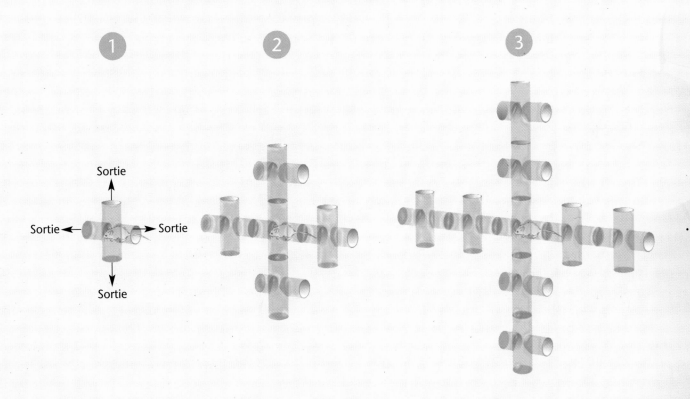

> **Quel est le numéro du labyrinthe qui offre à la souris 708 sorties possibles ?**

PISTES D'EXPLORATION...

- As-tu illustré les labyrinthes suivants ?
- D'autres modes de représentation pourraient-ils t'aider à analyser cette situation ?
- As-tu défini la règle associée à cette suite ?
- As-tu comparé ta solution à celle d'autres élèves ?

Alvéoles d'abeille

À l'intérieur d'une ruche, on trouve des alvéoles dans lesquelles la reine pond des œufs. Chaque alvéole est de forme hexagonale. Voici une suite de figures représentant des alvéoles ayant 1 unité de côté.

Figure 1   **Figure 2**   **Figure 3**   **Figure 4**

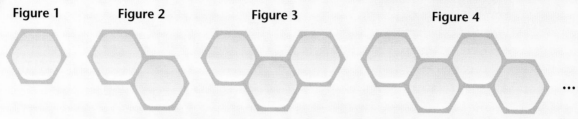

...

a. On s'intéresse au périmètre de ces figures. Vérifie que la règle $p = 4n + 2$ permet de calculer le périmètre p d'une figure de rang n.

b. On désire connaître le rang de la figure ayant un périmètre de 218 unités. Cela équivaut à déterminer la valeur de n dans $4n + 2 = 218$.

1) Explique le fonctionnement de ce tableau.

n	$p = 4n + 2$	Analyse
50	$p = 4 \times (50) + 2 = 202$	202 est inférieur à 218, donc $n > 50$.
60	$p = 4 \times (60) + 2 = 242$	242 est supérieur à 218, donc $n < 60$.

2) Complète le tableau ci-dessus afin de trouver la solution.

3) Utilise un tableau pour déterminer le rang de la figure ayant un périmètre de 374 unités.

c. On désire connaître le rang de la figure ayant un périmètre de 150 unités. Cela équivaut à déterminer la valeur de n dans $4n + 2 = 150$.

1) Explique le fonctionnement de ce schéma :

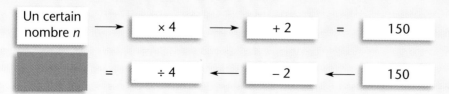

Un certain nombre n → | $\times 4$ | → | $+ 2$ | $=$ | 150 |

| | $=$ | $\div 4$ | ← | $- 2$ | ← | 150 |

2) Complète ce schéma afin de trouver la solution.

3) Utilise un schéma semblable pour déterminer le rang de la figure ayant un périmètre de 478 unités.

Calepin des savoirs

Équation

À l'aide de la règle d'une suite, on peut déterminer le rang d'un terme dont on connaît la valeur. Pour ce faire, on doit **résoudre une équation**, c'est-à-dire déterminer la valeur manquante dans un énoncé mathématique comportant une relation d'égalité.

Règle où t est le terme et n est le rang.		Équation à résoudre
$t = 3n$	On veut déterminer le rang du terme 75.	$3n = 75$
$t = -2n + 6$	On veut déterminer le rang du terme -34.	$-2n + 6 = -34$
$t = 6n - 3$	On veut déterminer le rang du terme 153.	$6n - 3 = 153$

Une équation peut s'écrire dans un sens ou dans l'autre. Par exemple, si $t = 3n$, alors $3n = t$, et si $-34 = -2n + 6$, alors $-2n + 6 = -34$.

Essais et erreurs

Voici une façon de déterminer le rang du terme 153 dans la règle $t = 6n - 3$, ce qui équivaut à résoudre l'équation $6n - 3 = 153$.

On débute la recherche avec une estimation de la solution.

n	$6n - 3$	Analyse
20	$6 \times (20) - 3 = 117$	$117 < 153$, donc $n > 20$.
30	$6 \times (30) - 3 = 177$	$177 > 153$, donc $n < 30$.
25	$6 \times (25) - 3 = 147$	$147 < 153$, donc $n > 25$.
26	$6 \times (26) - 3 = 153$	$153 = 153$, donc $n = 26$.

Selon les résultats obtenus, on réajuste la valeur de n.

Le rang de 153 est donc 26.

La recherche de la solution est terminée.

Opérations inverses

On peut considérer certaines équations comme une suite d'actions appliquées à une variable. Pour résoudre une équation, on peut effectuer, dans l'ordre inverse, le travail qui a permis de la construire.

Ex. : Pour déterminer le rang du terme 225 dans la règle $t = 6n - 3$, il faut résoudre l'équation $6n - 3 = 225$. On peut traduire cette équation par :

Un certain rang n → $\times 6$ → -3 = 225

38 = $\div 6$ ← $+3$ ← 225

Le rang du terme 225 est donc 38.

On valide la solution : en remplaçant n par 38 dans la règle $t = 6n - 3$, on doit obtenir $t = 255$.

$$6n - 3 = t$$
$$6 \times 38 - 3 = t$$
$$225 = t$$

1. Détermine mentalement le nombre manquant.

a) $17 = \boxed{} + 10$

b) $36 = \boxed{} \times 4$

c) $\boxed{} \div 5 = 6$

d) $51 - \boxed{} = 30$

e) $3 \times \boxed{} - 1 = 14$

f) $3 + 2 \times \boxed{} = 11$

2. Vérifie mentalement si 7 est la solution de ces équations.

a) $5x + 10 = 40$

b) $0,5x = 3,5$

c) $x^2 - 1 = 40$

d) $5 = 2x - 9$

3. On désire déterminer la valeur de x dans l'expression $7,5x - 3$, de manière que le résultat soit 169,5.

a) Si on remplace x par 20, obtient-on un résultat inférieur ou supérieur à 169,5 ?

b) Si on remplace x par 30, obtient-on un résultat inférieur ou supérieur à 169,5 ?

c) Poursuis cette démarche afin de résoudre l'équation $7,5x - 3 = 169,5$.

4. a) Explique en quoi les calculs ci-contre peuvent t'aider à résoudre l'équation $3x - 17 = 1021$.

b) Quelle est la valeur de x qui vérifie l'équation $3x - 17 = 1021$?

```
3*(200)-17
            583
3*(300)-17
            883
3*(400)-17
            1183
```

5. La règle d'une suite est $t = 4n - 1$. Quel rang occupe chacun des termes ci-dessous dans cette suite ?

a) 31

b) 99

c) 615

d) 4071

6. a) La règle d'une suite est $t = 6n + 17$. Quel est le rang du terme 125 ?

b) La règle d'une suite est $t = 3,5n - 20$. Quel est le rang du terme 106 ?

c) La règle d'une suite est $t = {}^-8n + 100$. Quel est le rang du terme $^-36$?

7. BANDE DESSINÉE La première page d'une bande dessinée comporte 11 illustrations. Toutes les autres en comportent 7. Combien de pages cette bande dessinée compte-t-elle s'il y a 522 illustrations en tout ?

C'est le 30 janvier 1904, soit 29 ans avant la création de Tintin, par Hergé, en Belgique, que le journal québécois *La Patrie* publie la première planche de la série « Les Aventures de Timothée », créée par Albéric Bourgeois. Il s'agit de la première série de bandes dessinées d'expression française.

Première case de la première planche des *Aventures de Timothée*, par Albéric Bourgeois, 30 janvier 1904.

Leonardo Pisano Fibonacci

La suite de Fibonacci dans la nature

Curieusement, un grand nombre d'espèces végétales ont un lien avec la suite de Fibonacci. C'est le cas des écailles d'une pomme de pin, des épines d'un cactus et des graines dans le centre d'une fleur de tournesol.

Par exemple, les écailles de cette pomme de pin sont disposées en 8 spirales dans un sens et en 13 spirales dans l'autre. Or, ces nombres sont des termes consécutifs de la suite de Fibonacci !

 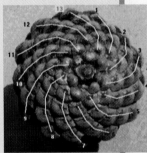

1 Mathématiquement, on définit la suite de Fibonacci comme suit :

Suite dont les deux premiers termes sont 1 et dont chacun des termes suivants est égal à la somme des deux précédents.

En utilisant cette définition, détermine le nombre de couples de lapins dans l'enclos après un an.

2 On a divisé chacun des termes de la suite de Fibonacci par le terme précédent.

Termes	1	1	2	3	...
(Terme) ÷ (Terme précédent)	1	2	1,5		

a) Poursuis ce processus avec les 12 premiers termes de la suite.

b) Que remarques-tu ?

3 À l'aide de deux exemples, vérifie que, dans la suite de Fibonacci :

le carré d'un terme diffère d'une unité du produit des deux termes qui l'encadrent dans cette suite.

4 Vérifie que les écailles d'un ananas sont disposées de telle façon que le nombre de spirales dans un sens et le nombre de spirales dans l'autre sens correspondent à des nombres consécutifs de Fibonacci.

5 Quelle est la valeur, arrondie au millième près, du nombre d'or ?

Historique des jeux vidéo

La naissance des jeux vidéo remonte aux années 1950, mais ce n'est que vers les années 1970 que ces jeux commencèrent à devenir populaires. Le premier jeu vidéo à connaître un grand succès commercial fut le *Atari Pong,* un jeu de tennis créé en 1972.

Grâce à l'accessibilité des ordinateurs dans les années 1980, la popularité des jeux vidéo prit de l'ampleur. La profession de concepteur ou de conceptrice de jeux connut alors une forte croissance. De nos jours, les jeux vidéo sont plus populaires que jamais.

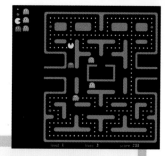

Jeux et consoles

Atari Pong :	1972
Atari 2600 :	1977
PacMan :	1982
Super Mario Bros :	1986
Game Boy :	1988
Sony Play Station 1 :	1994
Nintendo 64 :	1996
Sony Play Station 2 :	2000
Nintendo Game Cube :	2001
Microsoft XBox :	2001

Le rôle des concepteurs et des conceptrices de jeux vidéo

Les concepteurs et les conceptrices de jeux vidéo sont responsables de la création, du déroulement et de l'environnement d'un jeu. Ils et elles imaginent le scénario, le but et les niveaux à franchir, les personnages et les objets. Reste ensuite à définir les mécanismes qui rendront le jeu virtuellement réel et assureront son bon fonctionnement.

Les concepteurs et les conceptrices de jeux vidéo connaissent bien les outils de modélisation, d'animation 3D et d'intégration du son. Ils et elles travaillent en étroite collaboration avec d'autres programmeurs et programmeuses, ainsi que des infographistes.

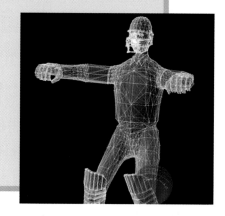

Les études et les offres d'emploi

Un concepteur ou une conceptrice de jeux vidéo possède de l'imagination et d'excellentes connaissances en informatique. Pendant ses études, il ou elle fera l'apprentissage de l'animation par ordinateur, de la scénarisation de jeux vidéo et de la programmation 2D et 3D. Ce sont surtout les studios d'animation qui embauchent les concepteurs et les conceptrices de jeux vidéo, ainsi que les entreprises spécialisées en production multimédia et en jeux électroniques.

Concepteur ou conceptrice de jeux vidéo

La mathématique et les jeux

Les concepteurs et les conceptrices de jeux vidéo utilisent souvent des calculs mathématiques pour que les animations soient les plus réelles possible. C'est le cas pour la conception de jeux de sport et de course d'automobiles.

Dans un jeu de golf, il faut s'assurer que la balle frappée réagit comme dans la réalité. C'est pourquoi on utilise des formules qui tiennent compte du bâton sélectionné, de la force de l'élan, de la direction du coup et même de la vitesse du vent. C'est ainsi qu'on peut montrer à l'écran la trajectoire de la balle dans les airs et calculer la distance parcourue.

Pour que le comportement d'une voiture dans un jeu de course automobile soit conforme à la réalité, on utilise des formules qui permettent de calculer sa vitesse, la distance de freinage, l'usure des pneus et la consommation d'essence. On donne ainsi à la personne qui joue la sensation de conduire une vraie voiture.

Lorsqu'on joue à un jeu vidéo, on ne se doute pas que de nombreux calculs mathématiques sont nécessaires pour analyser chaque geste et le traduire en temps réel pour ainsi donner vie au jeu. Sans la mathématique, il n'y aurait pas de jeux vidéo!

À TOI DE JOUER

1 Dans l'expression $v = d \div t$, v représente la vitesse, d, la distance parcourue, et t, le temps.

a) Détermine la vitesse moyenne d'une voiture ayant parcouru 178,8 km en 4 h.

b) Quelle est la distance parcourue par une voiture roulant à une vitesse de 78 km/h pendant 3,5 h?

2 Dans l'expression $d = v^2 \div 160$, d représente la distance de freinage (en m) d'une voiture et v, sa vitesse (en km/h). Dans un jeu, une voiture roulant à 100 km/h freine brusquement à 60 m d'un mur. Que se passera-t-il?

3 Dans l'expression $h = {}^-5t^2 + 40t$, h représente la hauteur (en m) d'une balle de golf et t, le nombre de secondes écoulées après avoir frappé la balle.

a) Si la balle atteint sa hauteur maximale 4 s après avoir été frappée, quelle est cette hauteur?

b) Quelle est la hauteur de la balle après 7 s?

À TOI DE CHERCHER

4 a) L'expression 2D fait référence à deux éléments. Lesquels?

b) L'expression 3D fait référence à trois éléments. Lesquels?

5 Dans un système de repérage en 3D, place le point (3, 2, 8).

À qui ça sert ?

1. a) Écris les cinq premiers termes d'une suite comportant une régularité.

   b) Décris cette suite en mots.

   c) Présente ta description à un ou à une élève. Cette personne devra être capable de reproduire les cinq premiers termes de ta suite. Si elle en est incapable, révise la clarté de ta description et présente-la de nouveau à un ou à une autre élève.

2. Parmi ces graphiques, lesquels illustrent des suites arithmétiques?

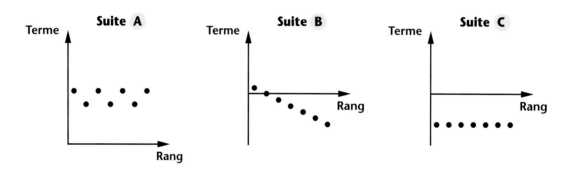

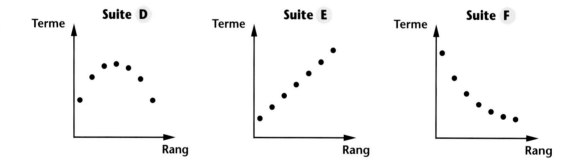

3. Voici la représentation graphique de deux suites. Pour chacune, donne les coordonnées des trois points suivants.

a)

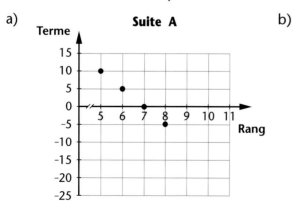

b)

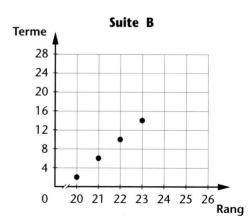

4. À l'aide d'une calculatrice, on a calculé les sept premières puissances de 3.

a) Donne la suite formée par le chiffre des unités de ces puissances.

b) Si l'on calculait 3^{25}, quel serait le chiffre des unités?

3^1	3
3^2	9
3^3	27
3^4	81
3^5	243
3^6	729
3^7	2187

5. Claude prétend que la régularité de chacune de ces suites est «additionner 10».

Suite 1

Rang	Terme
...	...
2	10
4	20
6	30
8	40
...	...

Suite 2

Rang	Terme
1	11
6	21
11	31
16	41
...	...

Suite 3

Rang	Terme
...	...
5	7
25	17
45	27
65	37
...	...

a) Explique l'erreur que Claude a commise.

b) Donne la règle de chaque suite.

6. On a inséré quelques formules dans les cellules d'un tableur. Indique les nombres qui apparaîtront dans les colonnes C, D et E si :

a) B2 = 3

b) B4 = 15

c) B6 = 500

d) B8 = 3

	A	B	C	D	E
1					
2	Suite A :		=B2–7	=C2–7	=D2–7
3					
4	Suite B :		=B4+26	=C4+26	=D4+26
5					
6	Suite C :		=B6/5	=C6/5	=D6/5
7					
8	Suite D :		=B8*2,4	=C8*2,4	=D8*2,4

Tu peux utiliser un tableur pour déterminer les nombres demandés.

7. Les énoncés suivants sont-ils vrais ou faux? Explique tes réponses.

a) Dans la suite 8, 18, 28, 38, ..., tous les termes se terminent par le chiffre 8.

b) Dans la suite 123, 113, 93, 83, ..., tous les termes se terminent par le chiffre 3.

c) Dans la suite 2048, 1024, 512, 256, ..., tous les termes sont des nombres entiers.

8. Donne les cinq premiers termes d'une suite arithmétique sachant que :

a) le premier terme est 6 et le deuxième est 18 ;

b) le deuxième terme est 18 et le troisième est 6 ;

c) le troisième terme est 6 et le sixième est 18 ;

d) le cinquième terme est 6 et le septième est 18.

9. Voici deux suites arithmétiques.

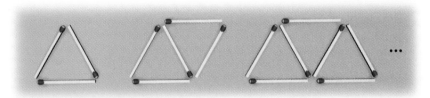

1 32, 43, 54, 65, 76, 87, 98, ...   **2** -21, -12, -3, 6, 15, 24, 33, ...

a) Dans l'une ou l'autre de ces suites, choisis trois termes consécutifs et calcule la moyenne.

b) Répète ce processus à l'aide de trois autres termes consécutifs.

c) Que peux-tu affirmer au sujet de la moyenne de trois termes consécutifs appartenant à une suite arithmétique ?

10. On a construit cette suite de triangles avec des allumettes.

a) Construis les deux formes suivantes.

b) Complète cette table de valeurs.

Nombre de triangles	1	2	3	4	5
Nombre d'allumettes					

c) Donne la règle qui permet de calculer le nombre d'allumettes d'après le nombre de triangles.

d) Détermine le nombre d'allumettes nécessaires pour construire 30 triangles.

e) L'une des formes de la suite est composée de 85 allumettes. Combien de triangles composent cette forme ?

Caroline Herschel
(1750-1848)

11. COMÈTE DE HALLEY En 1682, Edmond Halley observa dans le ciel une comète. Après de nombreux calculs, il fit une prédiction : la comète repasserait en 1758. Sa prédiction s'avéra exacte. On sait maintenant que la comète de Halley revient près du Soleil tous les 76 ans environ. Selon ces données, détermine si Cléopâtre, qui a vécu de l'an -69 à l'an -30, aurait pu observer cette comète au cours de sa vie. Explique ta réponse

Caroline Herschel et son frère William ont consacré leur vie à l'astronomie. Caroline, qui excellait en mathématique, donnait régulièrement un coup de main à William dans ses travaux de recherche. C'est en 1781 que William découvre la planète Uranus. Le 1er août 1786, Caroline découvre sa première comète. Entre 1786 et 1797, elle identifie 8 nouvelles comètes. Par la suite, elle entreprit un projet concernant l'identification des étoiles.

12. ÉNERGIE SOLAIRE Il existe plusieurs énergies renouvelables dont l'énergie solaire. Ce type d'énergie a la particularité d'être illimitée. L'énergie solaire permet également la sauvegarde de l'environnement.

Une entreprise fabrique des panneaux solaires carrés. Au centre des panneaux, il y a des capteurs solaires. En bordure, on installe des tuiles protectrices. Voici quelques modèles :

On installe la plupart du temps les panneaux solaires sur le toit des maisons.

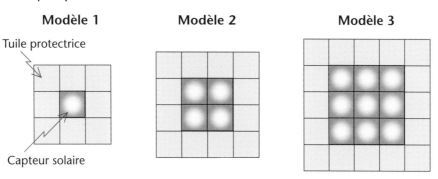

Modèle 1

Tuile protectrice

Capteur solaire

Modèle 2

Modèle 3

a) Dessine le modèle suivant en y indiquant le nombre de tuiles protectrices et le nombre de capteurs solaires.

b) Donne la règle qui permet, d'après le rang du modèle, de calculer :

   1) le nombre de tuiles protectrices ;   2) le nombre de capteurs solaires.

c) Combien de tuiles protectrices compte le 14e modèle ?

d) Combien de capteurs solaires compte le 20e modèle ?

e) Combien de tuiles protectrices doit comporter un panneau ayant 100 capteurs solaires au centre ?

f) Combien de capteurs solaires doit comporter un panneau ayant 152 tuiles protectrices autour ?

13. Pour écrire la suite des 13 premiers nombres naturels, soit 0, 1, 2, 3, 4, 5, 6, 7, 8, 9, 10, 11 et 12, on doit utiliser 16 chiffres.

Quel sera le dernier nombre de la suite des nombres naturels si l'on utilise :

a) 30 chiffres ?   b) 78 chiffres ?

14. On forme des piles à l'aide de cubes.

Pile 1   **Pile 2**   **Pile 3**

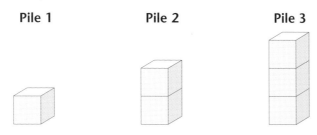

On veut peinturer cette suite de piles. Donne la règle qui permet de calculer le nombre de faces carrées à peinturer d'après le nombre de cubes que compte une pile. Utilise la lettre *c* pour indiquer le nombre de cubes dans une pile et *f* pour indiquer le nombre de faces carrées que compte cette pile.

15. Trois dimanches d'un même mois sont des jours qui correspondent à des nombres pairs. Quel jour de la semaine tombe le 20 de ce mois?

16. Dans une boutique spécialisée en équipement de plein air, on loue plusieurs sortes d'embarcations. Le coût de la location d'un kayak est de 7,00 $ pour la première heure et de 4,80 $ pour chaque heure additionnelle.
Voici le relevé de la location de kayaks de la dernière semaine.

Pendant combien de temps chacun de ces clients et clientes a-t-il loué un kayak?

Boutique
Action plein air

Location d'un kayak

Nom	Coût ($)
J. Lévesque	26,20
C. Serra	9,40
L. Cadieux	107,80
N. Lemay	205,00

17. BALLON-SONDE Un ballon-sonde est capable de transporter dans les airs des instruments de mesure scientifiques. Ces instruments permettent de recueillir des données sur des éléments de l'environnement, dont la température, les rayons solaires, l'humidité et les vents.

En te fondant sur des données recueillies par un ballon-sonde, suggère une façon de calculer avec le plus de précision possible la température à 3250 m d'altitude.

Données recueillies

ALTITUDE (m)	TEMPÉRATURE (°C)
200	33
1000	25
1400	21
4700	-12
6100	-26
8800	-53

Un ballon-sonde comporte quatre parties.

① Gonflé à l'hélium, le ballon permet de soulever son équipement jusqu'à 40 km d'altitude.

② Le parachute freine la descente de l'équipement.

③ Le réflecteur radar permet aux avions de connaître sa position et de l'éviter.

④ La nacelle contient les instruments de mesure.

Panorama 8

Des triangles aux polygones réguliers

Regarde autour de toi, il y a une multitude d'objets qui rappellent la forme d'un polygone. Quels polygones connais-tu ? Depuis quand fait-on de la géométrie ? Comment peut-on savoir si trois mesures de segments peuvent former un triangle sans les dessiner ? Dans ce panorama, tu découvriras les secrets des polygones et, plus particulièrement, ceux des triangles, des quadrilatères et des polygones réguliers. Tu apprendras à estimer des mesures dans des figures sans utiliser d'instruments de mesure. Finalement, tu te serviras des transformations géométriques pour construire des polygones réguliers.

PROJET

L'art de la géométrie

Société des maths

Euclide

À qui ça sert ?

Concepteur ou conceptrice de panneaux de signalisation

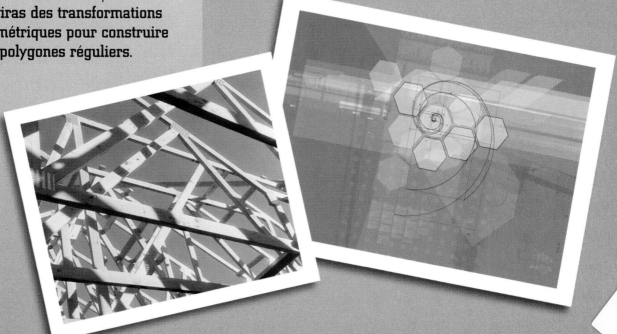

L'art de la géométrie

Présentation

Observe les objets, les bâtiments et les constructions qui t'entourent. On trouve partout des objets qui ont des faces de forme polygonale! Les architectes, les artistes, les décorateurs et les décoratrices ont toujours été inspirés par les formes géométriques.

On organise un concours dans ta classe. Le défi? Fabriquer un objet utilitaire et joli à la fois. Alors ouvre l'œil et observe autour de toi, cela t'inspirera peut-être une idée gagnante.

Mandat général proposé

Dans ce projet, tu devras fabriquer un objet utilitaire comportant plusieurs formes géométriques dans le but de participer au concours organisé dans ta classe.

■ **Partie 1 :** Esquisse de l'objet à réaliser.

■ **Partie 2 :** Fabrication de l'objet en trois dimensions.

■ **Partie 3 :** Réalisation du plan de l'objet.

Femme qui lit (Pablo Picasso, 1935)

Mise en train

Nomme un maximum d'objets qui ont des faces dont la forme ressemble à des polygones dans les catégories suivantes, et identifie ces polygones.

a) Matériel scolaire.

b) Moyen de transport.

c) Sport.

d) Articles de maison.

La géométrie est aux arts plastiques ce que la grammaire est à l'écrivain.

Guillaume Apollinaire
Poète italien (1880-1918)

PROJET
Conserve les réponses à cette question. Elles t'aideront à réaliser les autres parties du projet.

Avant de réaliser ta construction, tu dois analyser tous les choix qui s'offrent à toi, puis faire une esquisse de l'objet que tu veux fabriquer.

Mandat proposé

Faire une esquisse de l'objet utilitaire à fabriquer en respectant les contraintes suivantes.

Ton objet doit :
- avoir au moins deux faces de formes polygonales différentes.

Pour la décoration de ton objet, tu dois utiliser :
- au moins trois quadrilatères différents parmi le trapèze, le parallélogramme, le losange et le carré;
- au moins un polygone régulier à plus de quatre côtés;
- un triangle dont le périmètre est supérieur à celui d'un des quadrilatères.

PISTES D'EXPLORATION...

■ As-tu pensé à divers types d'objets : meuble de rangement, vaisselle, cadre, fournitures scolaires, etc.?

■ L'objet choisi respecte-t-il toutes les contraintes?

■ Quelle sera l'utilité de cet objet?

Une esquisse est un dessin réalisé à main levée, généralement de dimensions réduites, du projet d'une oeuvre ou d'une construction.

PROJET
Au besoin, consulte les unités 8.1 à 8.3, qui traitent des triangles, des quadrilatères et des polygones réguliers.

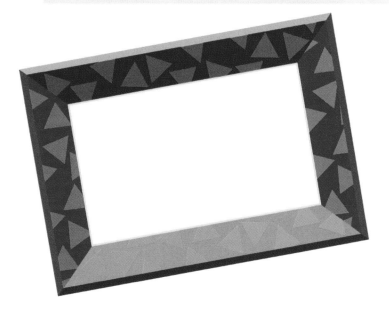

Il est maintenant temps de fabriquer ton objet.

Mandat proposé

Fabriquer un objet en trois dimensions à l'aide du matériel de ton choix.

De plus, tu dois :

- expliquer comment tu as construit les faces de forme polygonale de cet objet;
- donner les propriétés des polygones utilisés pour décorer l'objet.

Pistes d'exploration...

■ As-tu déterminé les dimensions de l'objet avant de commencer ta construction?

■ As-tu utilisé des matériaux recyclables?

■ As-tu utilisé tes instruments de géométrie?

■ Les propriétés font-elles référence aux angles, aux côtés et aux diagonales des polygones utilisés?

PROJET

Au besoin, consulte les unités 8.1 à 8.3, qui traitent des triangles, des quadrilatères et des polygones réguliers.

Partie 3 : Réalisation du plan de l'objet

Pour qu'une autre personne soit en mesure de reproduire ton objet, elle doit en avoir le plan. Ce plan doit présenter les vues de face, de derrière, de gauche, de droite, de dessus et de dessous de ton objet. Ces vues permettent de voir des détails de l'objet qu'on ne voit pas dans sa simple représentation en deux dimensions. Voici un exemple du plan d'une maison.

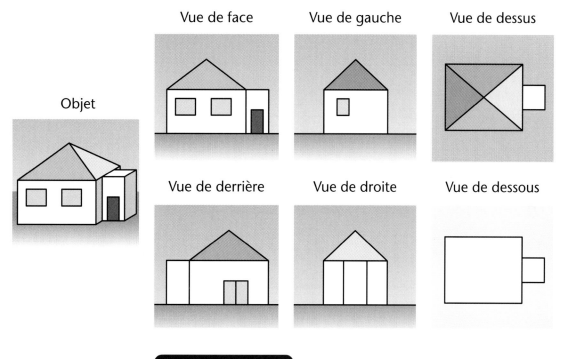

Objet

Vue de face   Vue de gauche   Vue de dessus

Vue de derrière   Vue de droite   Vue de dessous

Mandat proposé

Faire un dessin des six vues de ton objet.

PISTE D'EXPLORATION...

- As-tu utilisé ton objet pour t'aider à représenter les différentes vues ?

PROJET
Au besoin, consulte les unités 8.1 à 8.3, qui traitent des triangles, des quadrilatères et des polygones réguliers.

Bilan du projet : L'art de la géométrie

Pour participer au concours, tu dois remettre aux responsables :
- l'esquisse de ton objet ;
- la liste des propriétés des polygones utilisés pour décorer ton objet ;
- des explications sur la façon dont tu as construit les faces de formes polygonales de ton objet ;
- ton objet en trois dimensions ;
- le plan de ton objet.

Unité  8.1 Sous tous les angles

PROJET Cette unité t'aidera à réaliser toutes les parties de ton projet.

SITUATION-PROBLÈME ① La fabrication de tables

Une entreprise de fabrication de tables veut aménager une chaîne de montage pour fabriquer une table triangulaire semblable à celle illustrée ci-contre.

Pour fabriquer le dessus de la table, en forme de triangle, les responsables de l'ingénierie ont donné les séries d'instructions suivantes aux ouvriers et aux ouvrières.

1 m $\overline{AB}$ = 45 cm
m ∠ A = 130°
m $\overline{AC}$ = 65 cm

2 Un des angles mesure 30°.
Un autre angle mesure 130°.
Un des côtés mesure 65 cm.

3 m ∠ A = 130°
m ∠ B = 30°
m $\overline{AB}$ = 45 cm

4 m ∠ A = 130°
m ∠ B = 30°
m ∠ C = 20°

5 Le périmètre est 210 cm.
Un des côtés mesure 100 cm.
m ∠ A = 130°

6 m $\overline{AB}$ = 45 cm
m $\overline{AC}$ = 65 cm

7 Un des côtés mesure 45 cm.
Un des angles mesure 30°.
Un autre côté mesure 65 cm.

8 Les mesures des trois côtés sont respectivement 45 cm, 100 cm et 65 cm.

Le 7 octobre 1913, Ford inaugure la première chaîne de montage du monde. Cette chaîne permettra dorénavant de fabriquer une voiture en 93 minutes au lieu de 12 heures.

Quelles séries d'instructions permettront de produire un seul modèle de dessus de table ?

PISTES D'EXPLORATION...

- Dans chaque cas, est-il possible d'obtenir deux dessus de table non isométriques ?
- Un compas pourrait-il t'aider à reporter des longueurs ?

Des pattes et des angles

Carla est dessinatrice de meubles. Elle dessine surtout des tables personnalisées pour ses clients et ses clientes.

Les dessinateurs et les dessinatrices de meubles doivent imaginer les meubles qu'ils et elles fabriqueront ou feront fabriquer par d'autres personnes. Dans leur travail, ils et elles ont de plus en plus recours à l'ordinateur afin de créer des meubles stylisés, utiles et conçus à l'aide de matériaux diversifiés.

Pour répondre à la demande d'un client, Carla a dessiné une table dont la base est un polygone régulier à huit côtés et dont les pattes ont la forme de triangles isocèles isométriques. Voici l'illustration des étapes de la fabrication :

Un polygone à huit côtés est appelé un octogone.

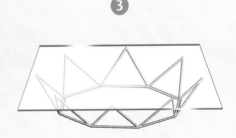

a. Qu'est-ce qu'un polygone régulier ?

b. Quelle est la somme des mesures des angles intérieurs de chacun des triangles isocèles formant une patte ?

c. Sans utiliser de rapporteur, détermine la mesure de chacun des angles intérieurs d'un triangle isocèle servant de patte.

d. Le client a changé d'avis. Il désire une table du même type mais dont la base est un polygone régulier à cinq côtés. Détermine la mesure de chacun des angles intérieurs d'un des triangles isocèles servant de patte.

Le centre de gravité chez les êtres humains se situe à environ 5 cm sous le nombril. Il est légèrement plus bas chez la femme que chez l'homme.

Les polygones ont aussi un centre de gravité. Il s'agit du point où l'on devrait déposer un morceau de carton rigide de forme polygonale pour qu'il soit en équilibre sur une tige.

Pour être en équilibre, les gymnastes, les équilibristes, les danseurs et les danseuses, entre autres, doivent toujours être conscients de leur centre de gravité.

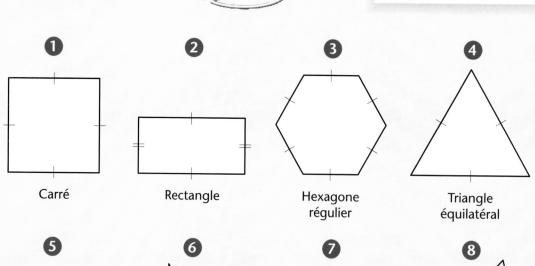

❶ Carré

❷ Rectangle

❸ Hexagone régulier

❹ Triangle équilatéral

❺ Triangle isocèle obtusangle

❻ Triangle scalène rectangle

❼ Triangle scalène obtusangle

❽ Triangle scalène acutangle

Détermine le centre de gravité de chacun des polygones ci-dessus.

PISTES D'EXPLORATION...

■ As-tu fait des essais avec un carton rigide ?

■ As-tu comparé tes réponses avec celles d'autres élèves ?

Polygone

Un **polygone** est une figure plane formée par
une ligne brisée fermée.

Un **côté** d'un polygone est un segment de la ligne
brisée formant le polygone.

> Le mot «polygone»
> vient du grec et
> signifie plusieurs (*poly-*)
> angles (*-gone*).

Un **sommet** d'un polygone est le point de rencontre de deux côtés du polygone.

Un **angle intérieur d'un polygone** est formé par deux côtés consécutifs de ce polygone et
se situe à l'intérieur de celui-ci.

Ex. :

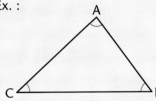

La figure ABC est un **polygone**.

$\overline{AB}$, $\overline{BC}$ et $\overline{AC}$ sont les **côtés** du polygone.

A, B et C sont les **sommets** du polygone.

∠ BAC ou ∠ A, ∠ ABC ou ∠ B et ∠ ACB ou ∠ C
sont les **angles intérieurs** du polygone.

Un **polygone régulier** est un polygone dont **tous les côtés** sont **isométriques** et dont
tous les angles sont **isométriques.** Il est équilatéral et équiangle.

Ex. :

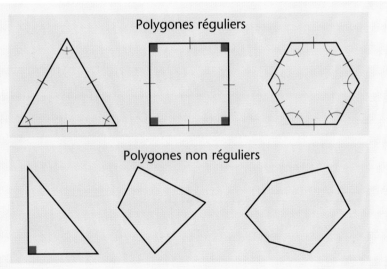

Polygones réguliers

Polygones non réguliers

Un **polygone** est **convexe** si la mesure de chacun de ses angles intérieurs est inférieure à 180°.

Ex. :

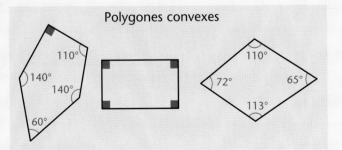

Polygones convexes

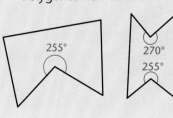

Polygones non convexes

Triangle

Un **triangle** est un **polygone ayant trois côtés.**

La somme des mesures des angles intérieurs d'un triangle est 180°.

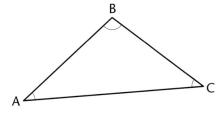

$m \angle A + m \angle B + m \angle C = 180°$

Classification des triangles

Caractéristiques selon la mesure des côtés	Nom	Illustration
Aucun côté isométrique	**Scalène**	
Deux côtés isométriques	**Isocèle**	
Tous les côtés sont isométriques	**Équilatéral**	

Caractéristiques selon la mesure des angles	Nom	Illustration
Trois angles aigus	**Acutangle**	
Un angle obtus	**Obtusangle**	
Un angle droit	**Rectangle**	
Deux angles isométriques	**Isoangle**	
Tous les angles sont isométriques	**Équiangle**	

Calepin des **savoirs**

Dans un triangle, le **côté opposé** à un **angle intérieur** est le côté du triangle qui ne sert pas à former l'angle dont il est question.

Ex. : Dans le triangle ABC ci-contre,
le côté BC est opposé à l'angle A.

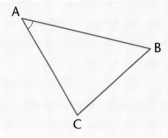

Dans un triangle, les **angles opposés aux côtés isométriques sont isométriques.**

Ex. :

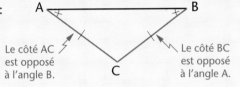

Le côté AC est opposé à l'angle B.

Le côté BC est opposé à l'angle A.

Dans le triangle ABC :
$\overline{AC} \cong \overline{BC}$, alors
$\angle B \cong \angle A$.

Périmètre

On détermine le périmètre d'un polygone en faisant la somme de toutes les mesures de ses côtés.

Ex. : Périmètre △ ABC = m $\overline{AB}$ + m $\overline{BC}$ + m $\overline{AC}$
= 5 + 9 + 6
= 20 cm

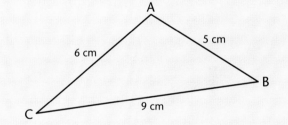

Médiane

La **médiane** d'un triangle est le **segment joignant un sommet au milieu du côté opposé.**
Les trois médianes d'un triangle se rencontrent en un seul point appelé le **centre de gravité.**

Ex. :
D, E et F sont les points milieux des trois côtés du triangle ABC.
$\overline{AE}$, $\overline{BF}$ et $\overline{CD}$ sont les médianes du triangle ABC.
Le point d'intersection L des trois médianes est le centre de gravité du triangle ABC.

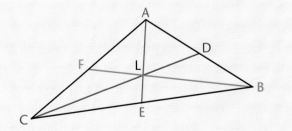

Construction de triangles

Pour construire un triangle à l'aide d'instruments de géométrie, voir l'*Album*, page 221.

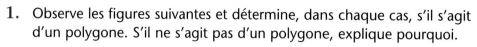

1. Observe les figures suivantes et détermine, dans chaque cas, s'il s'agit d'un polygone. S'il ne s'agit pas d'un polygone, explique pourquoi.

a)

b)

c)

2. Construis les triangles suivants et donne, dans chaque cas, le nom du triangle.

a) L'angle BCA mesure 62° et les deux côtés formant cet angle mesurent respectivement 4 cm et 5 cm.

b) Les trois côtés mesurent respectivement 6 cm, 8 cm et 12 cm.

c) Le côté DE mesure 5 cm, le côté EF mesure 2 cm et l'angle DEF mesure 90°.

3. Reproduis les triangles suivants et trace les médianes.

a)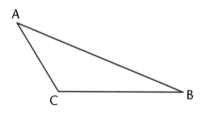

b)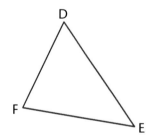

c)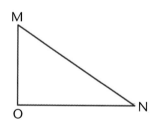

4. Quel nom donne-t-on au triangle qui est un polygone régulier? Quelles sont les caractéristiques de ce triangle?

5. Est-il possible de dessiner un triangle non convexe? Explique ta réponse.

6. Un triangle équilatéral a un périmètre de 18,69 cm. Quelle est la mesure de l'un des côtés?

7. a) Peux-tu construire un triangle dont les mesures d'angles sont :

   1) 46°, 66° et 68° ?

   2) 80°, 62° et 23° ?

   3) 112°, 43° et 35° ?

   b) Compose un énoncé permettant de vérifier, sans dessiner, si un triangle existe selon les mesures des angles donnés.

8. Les énoncés suivants sont-ils vrais ou faux ? Explique tes réponses.

   a) Un triangle isocèle est toujours isoangle.

   b) Un triangle équilatéral n'est pas toujours acutangle.

   c) Un triangle rectangle peut aussi être obtusangle.

   d) Dans un triangle isocèle, l'une des médianes est sur l'axe de symétrie de ce triangle.

> Le mot « isocèle » vient du grec *isoskêles,* où *iso-* signifie « égal » et *skelos,* « jambe ». Il qualifie un triangle aux jambes égales.

9. On a construit trois triangles à l'aide d'un logiciel de géométrie dynamique.

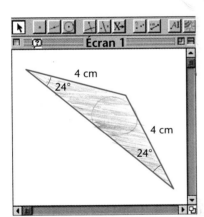

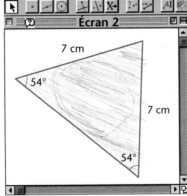

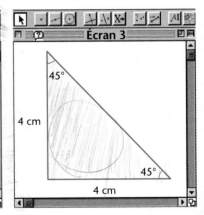

   a) Comment peux-tu déterminer les angles isométriques si tu connais les côtés isométriques ?

   b) Sans utiliser le rapporteur, détermine la mesure du troisième angle.

   c) Nomme chacun des triangles selon :

   1) ses angles ;

   2) ses côtés.

10. Le périmètre d'un triangle obtusangle isocèle est 23,6 cm. La mesure d'un des côtés permettant de former l'angle mesurant 129° est 6,2 cm. Quelle est la mesure des deux autres côtés ?

11. TRIANGLE DES BERMUDES Le triangle des Bermudes, aussi appelé le triangle du Diable, s'étend entre les Bermudes, Porto Rico et Miami.

a) De quel type de triangle est le triangle des Bermudes?

b) Quel est le périmètre du triangle des Bermudes?

c) Si l'angle au sommet «Miami» a une mesure de 57,9°, quelle est la mesure des deux autres angles du triangle des Bermudes?

Le vol 19 du 5 décembre 1945 est probablement à l'origine de la légende qui entoure le triangle des Bermudes. Cinq avions militaires ont disparu lors d'une mission de routine. Les pilotes ont indiqué par contact radio, avant que celui-ci soit interrompu, qu'ils étaient perdus, que tout était étrange et que même l'océan ne semblait pas comme d'habitude. Un avion partit à leur rescousse et ne revint jamais. C'est le plus célèbre cas de disparition inexpliquée dans le triangle des Bermudes.

12. Observe les triangles ci-dessous.

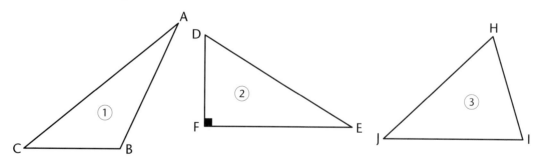

a) Détermine le plus grand angle et le plus grand côté de chaque triangle. Quel lien y a-t-il entre le plus grand angle et le plus grand côté d'un triangle?

b) Détermine le plus petit angle et le plus petit côté de chaque triangle. Quel lien y a-t-il entre le plus petit angle et le plus petit côté d'un triangle?

13. CINÉMA MAISON Pour maximiser les effets d'un cinéma maison, les haut-parleurs et l'endroit où est assise la personne doivent former un triangle équilatéral. Reproduis cette pièce et indique l'endroit idéal où une personne devrait être assise.

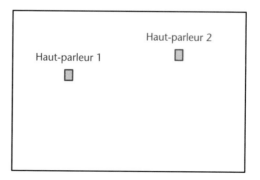

14. Sans mesurer, détermine les mesures manquantes.

a)

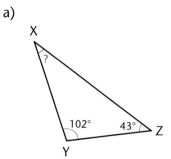

b)

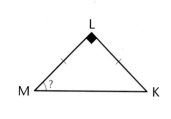

c)

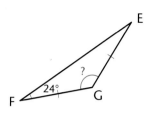

d)

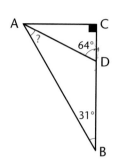

e)

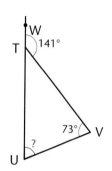

$\overline{FG}$ est la bissectrice
de l'angle F

f)

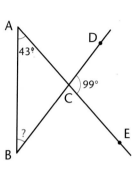

g)

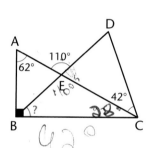

h)

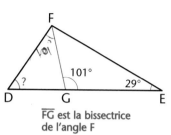

i)

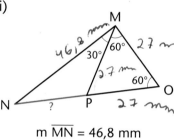

m $\overline{MN}$ = 46,8 mm
m $\overline{OP}$ = 27 mm
m $\overline{NP}$ = ? mm

15. Sans mesurer, associe les mesures des côtés ou les mesures des angles, selon le cas, au triangle donné.

a) Mesures des angles : 19,2°,
80,4°,
80,4°

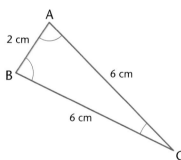

b) Mesures des côtés : 5,2 cm,
5,25 cm,
5,31 cm

16. ÉPICURE Savais-tu que certains animaux utilisent des propriétés géométriques sans s'en rendre compte? Découvre l'énoncé géométrique que les disciples du philosophe grec Épicure (341-270 av. J.-C.) disaient être connu... même par un âne!

a) Si l'âne est affamé, quel chemin parcourra-t-il pour atteindre le foin?

1 chemin C → B

2 chemin C → A → B

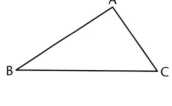

b) Si le foin avait été placé au point A, quel chemin l'âne aurait-il choisi?

1 chemin C → A   **2** chemin C → B → A

c) Daniel affirme avoir trouvé un contre-exemple. Voici le dessin qu'il a fait pour appuyer ce qu'il dit. A-t-il raison? Explique ta réponse.

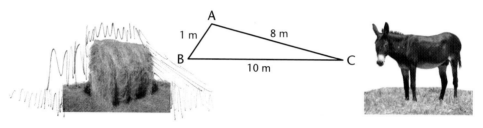

d) Quelle conclusion géométrique sur les triangles peux-tu tirer de cette histoire?

e) Avec des côtés ayant les mesures suivantes, quels triangles est-il possible de construire?

1 15 cm, 18 cm et 20 cm

2 5 dm, 8 dm et 100 cm

3 12 mm, 15 mm et 2,7 cm

 17. Combien de triangles isocèles y a-t-il dans la figure ci-contre?

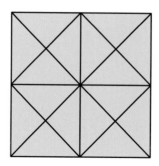

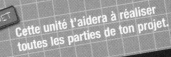

SITUATION-PROBLÈME | Les enclos

Olivia possède une ferme et plusieurs animaux. Elle a construit des enclos de formes différentes pour chaque espèce animale. Il y a cinq enclos ayant les formes suivantes : un trapèze, un parallélogramme, un rectangle, un losange et un carré.

Indices

Les vaches sont dans un enclos dont les côtés sont parallèles deux à deux.

Les cochons sont dans un enclos où les diagonales se coupent en leur milieu.

Les vaches sont dans un enclos dont les diagonales sont perpendiculaires.

Les chevaux et les poules sont dans des enclos où les diagonales sont isométriques.

Les poules et les vaches sont dans des enclos ayant quatre côtés isométriques.

Les lapins sont dans un enclos qui a une seule paire de côtés parallèles.

En 2005, près de 50 % des propriétaires des fermes du Québec utilisent un ordinateur pour faire leur comptabilité ou tenir le registre de leurs animaux et de leur matériel.

Quelle est l'espèce animale dans chaque enclos ?

PISTES D'EXPLORATION...

- Connais-tu la signification de tous les mots employés dans les indices ?
- As-tu représenté chacun des quadrilatères ?
- Un tableau t'aiderait-il à organiser les données ?
- Y a-t-il un indice qui te permet de déterminer immédiatement la forme de l'enclos de l'une des espèces animales ?

Voici un jeu où tu dois deviner le nom du quadrilatère tiré par un ou une élève.

Déroulement

L'élève 1 tire d'abord, au hasard, une carte « Quadrilatères » parmi les cartes suivantes : le quadrilatère sans particularité, le trapèze sans particularité, le trapèze isocèle, le trapèze rectangle, le parallélogramme, le rectangle, le losange et le carré.

L'élève 2 tire ensuite au hasard une carte « Propriétés » parmi les cartes suivantes : les côtés, les angles et les diagonales.

L'élève 2 doit deviner le nom du quadrilatère tiré par l'élève 1 en lui posant des questions relatives à la carte « Propriétés » tirée. Si l'élève épuise toutes les questions possibles sans avoir découvert le quadrilatère, il ou elle peut tirer une autre carte « Propriétés ».

Les questions doivent être formulées de telle sorte qu'on puisse y répondre par oui ou non. Aucun nom de quadrilatère ne doit être prononcé.

Le but du jeu est de découvrir le quadrilatère tiré en posant un minimum de questions et en utilisant, si possible, une seule carte « Propriétés ».

> Joue à ce jeu jusqu'à ce que chaque joueur ou joueuse ait deviné le nom de trois quadrilatères.

a. Énumère toutes les caractéristiques que possèdent les quadrilatères suivants par rapport à leurs côtés.

1) Trapèze   2) Parallélogramme   3) Rectangle   4) Losange   5) Carré

b. Énumère toutes les caractéristiques que possèdent les quadrilatères suivants par rapport à leurs angles.

1) Trapèze   2) Parallélogramme   3) Rectangle   4) Losange   5) Carré

c. Énumère toutes les caractéristiques que possèdent les quadrilatères suivants par rapport à leurs diagonales.

1) Trapèze   2) Parallélogramme   3) Rectangle   4) Losange   5) Carré

On a tracé les diagonales d'un quadrilatère ABCD. Le point M est le point d'intersection des deux diagonales. À l'aide de la figure ci-dessous, réponds aux questions suivantes.

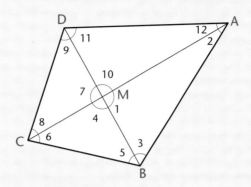

a. Quelle est la somme des mesures :

1) des angles 1, 2 et 3?

2) des angles numérotés de 1 à 12?

3) des angles 1, 4, 7 et 10?

4) des angles intérieurs du quadrilatère ABCD?

b. 1) Trace un quadrilatère DEFG quelconque.

2) Place un point N n'importe où à l'intérieur de celui-ci.

3) Relie le point N à chacun des sommets du quadrilatère.

4) La somme des mesures des angles intérieurs du quadrilatère DEFG est-elle identique à celle obtenue pour le quadrilatère ABCD en **a.** 4)?
Explique ta réponse.

c. On a tracé la diagonale JL dans le quadrilatère IJKL.

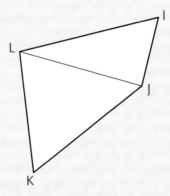

1) Détermine la somme des mesures des angles intérieurs de ce quadrilatère à l'aide de cette représentation. Explique ta démarche.

2) Aurait-on obtenu le même résultat si on avait tracé la diagonale IK au lieu de la diagonale JL? Explique ta réponse.

d. Sans utiliser de rapporteur, vérifie si la somme des mesures des angles intérieurs de chacun des quadrilatères ci-dessous est identique. Explique ta réponse.

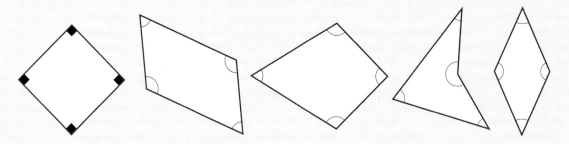

e. Énonce une propriété au sujet de la somme des mesures des angles intérieurs d'un quadrilatère.

Calepin des savoirs

Quadrilatère

Un **quadrilatère** est un **polygone ayant quatre côtés**.

Une **diagonale** est un **segment joignant deux sommets non consécutifs** d'un polygone.

Ex. :

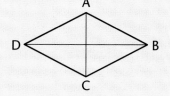

$\overline{AC}$ et $\overline{BD}$ sont les diagonales du quadrilatère ABCD.

Dans un quadrilatère :

- des **côtés sont opposés** s'ils n'ont aucun sommet commun ;

- des **côtés sont adjacents** s'ils ont un sommet commun ;

- des **angles sont opposés** s'ils n'ont aucun côté commun ;

- des **angles sont consécutifs** s'ils ont un côté commun.

Ex. :

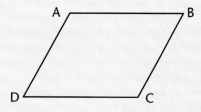

Dans le quadrilatère ABCD :

$\overline{AB}$ et $\overline{DC}$ sont des côtés opposés ;

$\overline{AB}$ et $\overline{AD}$ sont des côtés adjacents ;

∠ B et ∠ D sont des angles opposés ;

∠ B et ∠ C sont des angles consécutifs.

La somme des mesures des angles intérieurs d'un quadrilatère est 360°.

Calepin des **savoirs**

Propriétés des quadrilatères convexes

Propriétés selon		Quadrilatère sans particularité	Trapèze sans particularité	Trapèze isocèle	Trapèze rectangle
Les côtés	Aucun côté parallèle				
	Une paire de côtés parallèles				
	Deux côtés isométriques				
Les angles	Deux angles droits				
Les diagonales	Isométriques			$\overline{AC} \cong \overline{BD}$	
Les axes de symétrie					

Propriétés selon		Parallélogramme	Rectangle	Losange	Carré
Les côtés	Deux paires de côtés opposés parallèles				
	Deux paires de côtés opposés isométriques				
	Quatre côtés isométriques				
Les angles	Des angles opposés isométriques				
	Des angles consécutifs supplémentaires	$m \angle 1 + m \angle 2 = 180°$	$m \angle 1 + m \angle 2 = 180°$	$m \angle 1 + m \angle 2 = 180°$	$m \angle 1 + m \angle 2 = 180°$
	Quatre angles droits				
Les diagonales	Se coupent en leur milieu				
	Isométriques		$\overline{AC} \cong \overline{BD}$		$\overline{AC} \cong \overline{BD}$
	Perpendiculaires				
Les axes de symétrie					

1. Combien d'axes de symétrie y a-t-il dans :

   a) un trapèze isocèle ?

   b) un trapèze rectangle ?

   c) un parallélogramme ?

   d) un rectangle ?

   e) un losange ?

   f) un carré ?

2. Quels quadrilatères ont :

   a) deux paires de côtés opposés parallèles ?

   b) deux paires d'angles opposés isométriques ?

   c) des diagonales perpendiculaires ?

3. Un rectangle a un périmètre de 63,2 cm. Si l'un de ses côtés mesure 12,1 cm, quelles sont les mesures des trois autres côtés ?

4. Les énoncés suivants sont-ils vrais ou faux ? Explique tes réponses.

   a) Un carré est un rectangle dont les diagonales sont isométriques.

   b) Un parallélogramme est un trapèze dont les diagonales sont isométriques.

   c) Un carré est un losange dont les diagonales sont isométriques.

Au 16e siècle, le mathématicien Simon Stevin appelait *hache* ce que nous appelons aujourd'hui un trapèze. Il trouvait que la forme du trapèze ressemblait à celle d'une hache.

5. Trace un angle de 45°. À l'aide de cet angle et de tes instruments de géométrie, trace :

   a) un trapèze ;

   b) un parallélogramme ;

   c) un losange ;

   d) un rectangle.

6. Sans les mesurer, détermine les mesures des angles numérotés de 1 à 13.

a) Soit MNOP, un quadrilatère.

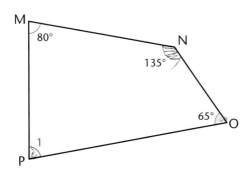

b) Soit ABCD, un trapèze isocèle.

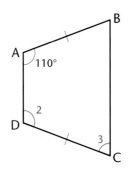

c) Soit ABCD, un trapèze rectangle.

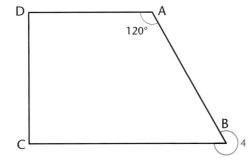

d) Soit ABCD, un losange, et MNOP, un rectangle obtenu en joignant les points milieux de chacun des côtés consécutifs du losange.

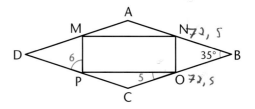

e) Soit ABCD, un parallélogramme.
m ∠ DAB = 145°.
$\overline{BD}$ est une diagonale.

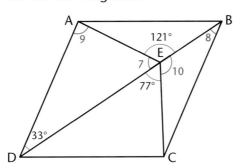

f) Soit ABCD, un losange.
D est le point milieu de $\overline{AE}$.

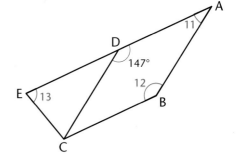

7. On veut construire un enclos rectangulaire pour un chien. Voici le matériel dont on dispose. Explique comment on peut s'assurer que l'enclos est parfaitement rectangulaire.

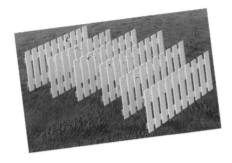

8. Détermine les mesures demandées et justifie chacune de tes réponses par une ou plusieurs des propriétés suivantes.

A Les angles opposés sont isométriques.

B Les côtés opposés sont isométriques.

C Tous les côtés sont isométriques.

D Les diagonales se coupent en leur milieu.

E Les diagonales sont perpendiculaires.

F Les diagonales sont isométriques.

G Les diagonales sont sur des axes de symétrie de la figure.

H La somme des mesures des angles intérieurs d'un quadrilatère est 360°.

I La somme des mesures des angles intérieurs d'un triangle est 180°.

J Des angles adjacents dont les côtés extérieurs sont en ligne droite sont supplémentaires.

a) Soit le parallélogramme ABCD.

m ∠ DAB = 122°

m ∠ AED = 49°

m $\overline{AB}$ = 12 cm

m $\overline{BD}$ = 16 cm

m $\overline{BC}$ = 6 cm

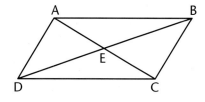

Détermine :

1) m ∠ DCB ;

2) m $\overline{BE}$;

3) le périmètre du parallélogramme ABCD ;

4) m ∠ AEB.

b) Soit le carré DEFG.

m $\overline{DE}$ = 6,3 cm

m $\overline{EG}$ = 8,9 cm

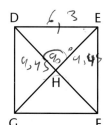

Détermine :

1) m ∠ DHE ;

2) m $\overline{DF}$;

3) le périmètre du triangle GHF ;

4) m ∠ EDH.

c) Soit le losange MNOP.

m ∠ NMR = 54°

m $\overline{NO}$ = 5,2 dm

Détermine :

1) m ∠ MNR ;

2) m $\overline{MP}$;

3) le périmètre du losange MNOP ;

4) m ∠ MPO.

9. Observe les quadrilatères ci-dessous.

Quadrilatère sans particularité

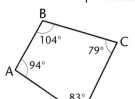

B
104°
C
79°
A 94°
83°
D

Trapèze isocèle

M   N
130° 130°
50°   50°
P   O

Trapèze rectangle

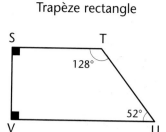

S   T
128°
52°
V   U

Parallélogramme

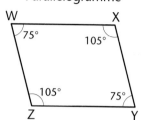

W   X
75°   105°
105°   75°
Z   Y

Rectangle

I   J
L   K

Losange

E
116°
H 64°   64° F
116°
G

a) Détermine la somme des mesures des angles consécutifs pris deux à deux dans chacun des quadrilatères.

b) Énonce une propriété qu'ont les angles consécutifs de certains quadrilatères. Indique tous les quadrilatères où cette propriété s'applique.

10. Détermine trois façons de calculer le périmètre du rectangle ci-contre.

14 mm
6 mm

11. Enlève deux cure-dents de façon à former exactement deux carrés.

12. Explique comment tu dois disposer 36 carreaux de céramique pour obtenir un dallage ayant la forme d'un quadrilatère qui a :

a) le plus petit périmètre possible ;

b) le plus grand périmètre possible.

13. Le périmètre d'un carré représente 62 % de celui d'un losange de 5,5 mm de côté. Quel est le périmètre de ce carré ?

14. En utilisant seulement des coordonnées entières, détermine les coordonnées des sommets du plus petit carré dont les diagonales se rencontrent en (-1, -2) dans un plan cartésien.

15. Combien y a-t-il de rectangles dans la figure ci-contre ?

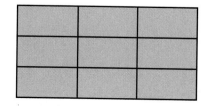

PROJET

Cette unité t'aidera à réaliser toutes les parties de ton projet.

SITUATION-PROBLÈME Le ballon de soccer

La surface d'un ballon de soccer est formée de pentagones et d'hexagones réguliers. Lorsqu'on fait le développement d'un ballon de soccer, on doit laisser un espace entre les polygones afin qu'une fois assemblés, le ballon ait la forme voulue.

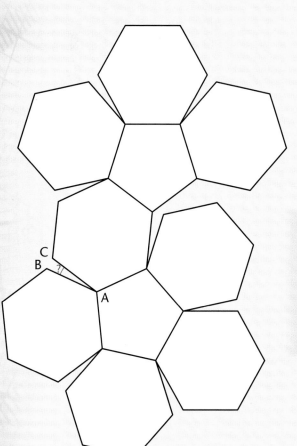

Les équipes professionnelles de soccer de Montréal

De 1981 à 1983   De 1988 à 1992   De 1993 à ce jour

Quelle est la mesure de l'angle BAC ?

PISTES D'EXPLORATION...

- Que signifie l'expression *polygone régulier* ?
- As-tu identifié les angles dont tu devras déterminer la mesure pour résoudre cette situation-problème ?
- As-tu déjà résolu un problème où tu devais déterminer la somme des mesures des angles intérieurs d'un polygone ?

ACTIVITÉ ① De l'Expo 67 à la Biosphère

La Biosphère était originalement le pavillon des États-Unis lors de l'Exposition universelle de Montréal, en 1967.

En 1976, un incendie majeur détruisit l'enveloppe extérieure de la sphère. Il faudra attendre le 5 juin 1995 pour que la sphère soit de nouveau accessible au public. La Biosphère était née.

La sphère atteint une hauteur de 62,8 m.

La Biosphère est composée de deux sphères distantes d'environ 1 m. La sphère externe est composée de triangles équilatéraux dont les côtés mesurent 2,4 m. Ces triangles sont assemblés de façon à créer des hexagones réguliers.

La sphère interne est composée d'hexagones réguliers dont le périmètre est 9 m.

La sphère externe

a. 1) À l'aide de tes instruments de géométrie, construis, à l'échelle, un des triangles formant l'hexagone régulier de la sphère externe. Effectue des rotations successives de ce triangle afin d'obtenir l'hexagone. Utilise l'échelle suivante : 1 cm ≜ 1 m.

2) Quel est le centre de rotation?

3) Quelle est la mesure de l'angle de chacune des rotations?

b. 1) Si la Biosphère était constituée d'octogones réguliers de 2,4 m de côté au lieu d'hexagones réguliers, quelles devraient être les mesures des angles intérieurs du triangle?

2) Dans le cas de l'octogone, quelle est la mesure de l'angle de chacune des rotations?

Tu peux utiliser un logiciel de géométrie dynamique au lieu de tes instruments de géométrie.

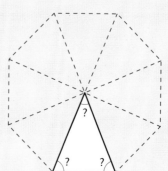

La sphère interne

c. 1) À l'aide de tes instruments de géométrie, trace un côté de l'hexagone régulier et effectue des rotations successives avec ce segment pour obtenir l'hexagone de la sphère interne. Utilise l'échelle suivante : 1 cm $\triangleq$ 1 m.

Tu peux utiliser un logiciel de géométrie dynamique au lieu de tes instruments de géométrie.

    2) Quel est le centre de rotation ?

    3) Quelle est la mesure de l'angle de chacune des rotations ?

d. Si la Biosphère était constituée de pentagones réguliers au lieu d'hexagones réguliers, quelle devrait être la mesure de l'angle de chacune des rotations pour faire correspondre chacun des côtés au côté adjacent ?

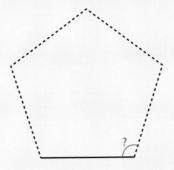

e. Reproduis « l'étoile » ci-contre et complète-la pour obtenir un des hexagones de la sphère interne. Utilise l'échelle suivante : 1 cm $\triangleq$ 1 m.

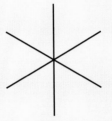

f. Explique comment tu pourrais utiliser la technique de « l'étoile » pour construire un des polygones si la sphère interne était constituée de décagones réguliers plutôt que d'hexagones réguliers.

C'est l'architecte américain Richard Buckminster Fuller qui a imaginé la sphère. Avant l'incendie de 1976, elle était recouverte d'acrylique transparent.

La Biosphère est aujourd'hui consacrée à la recherche sur l'eau et l'écosystème des Grands Lacs et du Saint-Laurent. On y trouve en permanence des expositions et des activités éducatives liées à l'une de nos richesses naturelles : l'eau.

Dans un logiciel, on peut donner des instructions à une tortue virtuelle afin qu'elle exécute des actions. Par exemple, pour construire un carré et remettre la tortue dans sa position initiale, on donne les instructions suivantes.

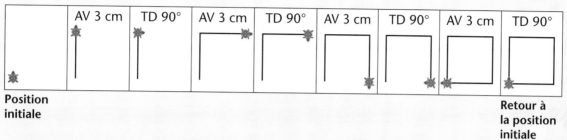

| AV 3 cm | TD 90° | AV 3 cm | TD 90° | AV 3 cm | TD 90° | AV 3 cm | TD 90° |

Position initiale

Retour à la position initiale

a. En observant les mouvements de la tortue dans l'exemple ci-dessus, détermine ce que signifient les abréviations suivantes :

1) AV 3 cm   2) TD 90°

b. Écris la séquence d'actions permettant de dessiner les polygones suivants. Assure-toi que la tortue revient à sa position initiale à la fin de la séquence.

1) Un triangle équilatéral ;   2) Un losange ;   3) Un ennéagone régulier.

c. Échange tes séquences avec celles d'un ou d'une élève et exécute-les. Obtiens-tu les polygones désirés ?

d. Au total, de combien de degrés ta tortue a-t-elle tourné pour tracer chacun des polygones en **b.** et revenir à sa position initiale ?

e. On a illustré les angles extérieurs du polygone ci-contre. Quel lien y a-t-il entre les angles extérieurs du polygone et les instructions que l'on doit donner à la tortue pour qu'elle trace ce polygone ?

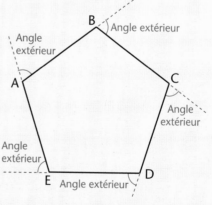

f. Quelle est la somme des mesures de l'angle extérieur et de l'angle intérieur d'un polygone à chacun de ses sommets ?

g. Quelle est la somme des mesures des angles extérieurs :

1) d'un triangle ?   2) d'un quadrilatère ?

3) d'un pentagone convexe ?   4) d'un polygone convexe à n côtés ?

Calepin des **savoirs**

Classification des polygones

Polygones

Nombre de côtés	Nom	Nombre de côtés	Nom
3	Triangle	8	Octogone
4	Quadrilatère	9	Ennéagone
5	Pentagone	10	Décagone
6	Hexagone	11	Hendécagone
7	Heptagone	12	Dodécagone

Dans un polygone à *n* côtés, il y a *n* angles intérieurs.

Somme des mesures des angles intérieurs d'un polygone

La **somme** des mesures des **angles intérieurs** d'un polygone est :

$$S = n \times 180° - 360° \quad \text{ou} \quad S = (n - 2) \times 180°$$

où *n* représente le nombre de côtés et *S*, la somme des mesures des angles intérieurs du polygone.

Ex. :

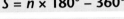

$$S = 5 \times 180° - 360° = 540° \qquad S = (5 - 2) \times 180° = 540°$$

Dans un **polygone régulier,** on détermine la **mesure d'un des angles intérieurs** en divisant la somme des mesures des angles intérieurs de ce polygone par le nombre de côtés de ce polygone.

Ex. : $\dfrac{\text{Mesure d'un des angles intérieurs}}{\text{d'un pentagone régulier}} = \dfrac{\text{Somme des mesures des angles intérieurs du polygone}}{\text{Nombre de côtés du polygone}} = \dfrac{540°}{5} = 108°$

Angles extérieurs d'un polygone convexe

Dans un polygone convexe, un **angle extérieur** en un sommet est formé par un côté du polygone et le prolongement du côté adjacent en ce sommet.

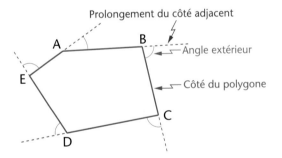

À chaque sommet d'un polygone convexe, l'angle intérieur et l'angle extérieur sont supplémentaires.

Ex. :

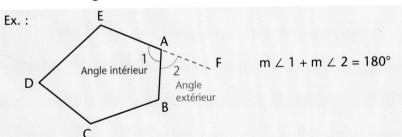

$$m \angle 1 + m \angle 2 = 180°$$

La **somme** des mesures des **angles extérieurs** d'un **polygone convexe** est 360°.

Construction d'un polygone régulier

Pour construire un polygone régulier à l'aide d'instruments de géométrie, voir l'*Album,* page 223.

Coup d'œil

1. a) Combien y a-t-il d'axes de symétrie dans :

   1) un triangle équilatéral ?
   2) un carré ?
   3) un pentagone régulier ?
   4) un hexagone régulier ?
   5) un heptagone régulier ?
   6) un octogone régulier ?
   7) un polygone régulier ayant un nombre impair de côtés ?
   8) un polygone régulier ayant un nombre pair de côtés ?

   b) Que remarques-tu ?

2. Quelles figures, parmi les suivantes, représentent un pentagone ?

   A 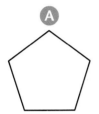 **B**  **C** 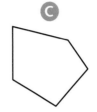 **D**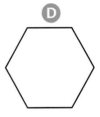

3. Comment appelle-t-on un polygone régulier :

   a) dont chacun des côtés mesure 7 cm et dont le périmètre est 63 cm ?

   b) dont chacun des côtés mesure 8,56 m et dont le périmètre est 9416 cm ?

4. Détermine le polygone régulier que l'on peut obtenir en effectuant plusieurs rotations successives autour du même sommet d'un triangle :

   a) équilatéral ;

   b) isocèle dont chacun des angles isométriques mesure 70° ;

   c) rectangle isocèle ;

   d) isocèle dont l'angle non isométrique mesure 45°.

5. Construis à l'aide de tes instruments de géométrie :

   a) un ennéagone régulier de 2 cm de côté.

   b) un octogone régulier dont le périmètre est 14,4 cm.

6. Pourquoi est-il difficile de construire avec précision un heptagone régulier à l'aide de tes instruments de géométrie ?

Le préfixe *octo*- signifie « huit ». On le trouve dans plusieurs mots comme :

Octobre : huitième mois de l'année romaine qui commençait en mars.

Octogénaire : personne ayant de 80 à 89 ans.

Octave : en musique, huitième degré de l'échelle diatonique, portant le même nom que le premier.

Octet : groupe comprenant huit éléments binaires en informatique.

Octopode : qui a huit pieds ou tentacules.

7. Quelle est la mesure d'un angle extérieur d'un polygone régulier de :

   a) 7 côtés ?   b) 12 côtés ?   c) 20 côtés ?

8. Sans utiliser de rapporteur, détermine la mesure de l'angle indiqué en rouge dans chaque figure.

   a)
   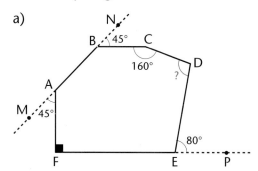

   b)
   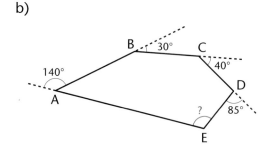

9. Dans un polygone régulier, la mesure de chaque angle extérieur représente 50 % de la mesure de chaque angle intérieur. De quel polygone s'agit-il ?

10. Le périmètre d'un octogone régulier est le même que celui d'un carré. Que peut-on dire à propos des mesures des côtés de l'octogone par rapport à celles des côtés du carré ?

11. Deux heptagones ont le même périmètre. Sont-ils nécessairement isométriques ? Explique ta réponse.

12. Les énoncés suivants sont-ils vrais ou faux ? Explique tes réponses.

    a) Le périmètre d'un octogone régulier représente 800 % de la mesure d'un de ses côtés.

    b) Un polygone régulier est équilatéral et équiangle.

13. On veut calfeutrer pour l'hiver une fenêtre ayant la forme d'un octogone régulier dont chaque côté mesure 0,7 m. Deux magasins offrent le même matériel. Aux deux endroits, on ne peut qu'acheter un nombre entier de mètres de feutre. À quel endroit devrait-on acheter le matériel ? Explique ta réponse.

14. Gaëlle a dessiné un dodécagone régulier qui a un périmètre de 384 mm. Elle fait une photocopie de son dessin en réglant la photocopieuse de façon à augmenter les mesures des côtés du polygone de 14 %. Quelle sera la mesure de chacun des côtés du dodécagone photocopié ?

15. On a fait varier la mesure d'un côté d'un polygone régulier et l'on a observé les effets de cette variation sur le périmètre. Dans chacun des cas, détermine le nombre de côtés que le polygone régulier possède.

a)

Polygones réguliers

Mesure d'un côté (cm)	0,15	0,2	0,25	0,3
Périmètre (cm)	2,4	3,2	4	4,8

b)

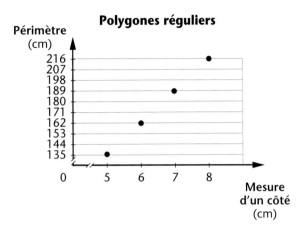

Polygones réguliers

Périmètre (cm) / Mesure d'un côté (cm)

16. Détermine le nombre de côtés d'un polygone si la somme des mesures de ses angles intérieurs est :

a) 1620°   b) 2160°   c) 9360°

17. Détermine la somme des mesures des angles des pointes de cette étoile irrégulière si :

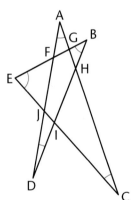

m ∠ HIJ = 65°

m ∠ GFJ = 132°

m ∠ GHI = 2 × m ∠ FEJ

m ∠ EJF = 53°

1 Vers quel nombre la mesure de chacun des angles intérieurs d'un polygone régulier tend-elle lorsque le nombre de côtés augmente ?

2 À quelle forme un polygone ressemble-t-il lorsque le nombre de ses côtés est très grand ?

3 Montre, à l'aide de la distributivité de la multiplication sur la soustraction, que $(n - 2) \times 180 = 180n - 360$.

Société des maths

Sa vie

On ne connaît pas exactement la date de naissance ni la date de la mort d'Euclide. On sait qu'il était Grec et qu'il a vécu de l'an -325 à l'an -263, approximativement, et qu'il fit ses études à Athènes. On sait aussi qu'il enseigna les mathématiques à l'université d'Alexandrie, à la demande du roi d'Égypte.

Euclide
(v. 325-v. 263 av. J.-C.)

Ses écrits

Euclide est principalement connu pour son ouvrage intitulé les *Éléments,* qui compte 13 volumes. Ces volumes sont une synthèse des connaissances mathématiques de son époque. Les premiers volumes portent sur la géométrie plane et contiennent presque la totalité de la géométrie enseignée de nos jours au secondaire.

Euclide fut le premier à proposer une structure logique basée sur des énoncés préalables permettant de démontrer des énoncés plus complexes. Son premier volume débutait par cinq postulats. Il s'agit d'énoncés qu'Euclide demande aux lecteurs et aux lectrices de considérer comme vrais et sur lesquels il fonde le reste de son enseignement.

Les cinq postulats des *Éléments*

1. Soit deux points A et B, il existe une seule droite passant par A et B.

2. Tout segment AB peut être prolongé en une droite passant par A et B.

3. Pour tout point A et tout point B distinct de A, on peut décrire un cercle de centre A passant par B.

4. Tous les angles droits sont isométriques entre eux.

5. Par un point extérieur à une droite, on peut tracer une et une seule parallèle à cette droite.

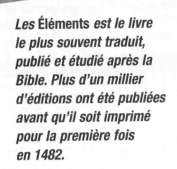

Les Éléments *est le livre le plus souvent traduit, publié et étudié après la Bible. Plus d'un millier d'éditions ont été publiées avant qu'il soit imprimé pour la première fois en 1482.*

La géométrie dite euclidienne est basée sur ces cinq postulats. Depuis le 19e siècle, il existe des géométries basées sur d'autres postulats. Par exemple, la géométrie sphérique est une géométrie non euclidienne.

Euclide

Le vocabulaire chez Euclide

Dans les *Éléments,* Euclide utilise seulement la règle et le compas pour faire des constructions géométriques. À l'époque, une règle servait uniquement à relier deux points en ligne droite. Elle n'était pas graduée.

Chez les Grecs, le suffixe «*-gone*» était réservé aux figures régulières tandis que le suffixe «*-pleure*» désignait une figure non régulière.

 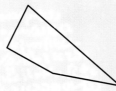

Tétragone   Tétrapleure

De nos jours, on utilise le suffixe «*-gone*» pour désigner une figure, qu'elle soit régulière ou non.

On doit à Euclide le mot *parallélogramme,* soit un quadrilatère formé par des lignes droites parallèles deux à deux.

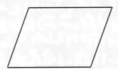

Parallélogramme

Le mot «oblong» signifie de *forme allongée.* Pour Euclide, il s'agissait d'un «carré allongé», donc d'un rectangle.

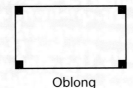

Oblong

Hypatie

Hypatie est considérée comme la première femme mathématicienne. Née à Alexandrie vers l'an 370, elle a été assassinée en 415. Elle enseigna la mathématique à Alexandrie et commenta les oeuvres de plusieurs grands mathématiciens, dont Euclide. Elle a récrit et commenté les *Éléments.*

À TOI DE JOUER

1 Illustre chacun des cinq postulats d'Euclide.

2 Donne les propriétés de ce qu'Euclide appelait une forme «oblongue».

3 En n'utilisant, comme Euclide, qu'une règle non graduée et un compas, construis ce que les Grecs appelaient :

a) un triangle équilatéral,

b) un hexagone,

c) un pentapleure.

À TOI DE CHERCHER

4 Qu'est-ce qu'une division euclidienne?

5 Euclide est à l'origine de l'abréviation «CQFD».

a) Que signifie cette abréviation?

b) Dans quel contexte l'utilise-t-on?

Histoire de la signalisation

À l'époque de Jules César, les Romains utilisaient déjà les principes de la signalisation. Ils installaient de gros blocs de pierre sur la chaussée afin de ralentir les chars qui devaient passer entre les blocs.

C'est à partir de 1923, grâce à J.-Omer Martineau, un ingénieur du ministère de la Voirie du Québec, qu'on commença à utiliser davantage les icônes sur les panneaux et de moins en moins les mots. Trois raisons expliquent ce choix.

- Avec l'avènement de la voiture, les gens circulaient sur les routes à des vitesses de plus en plus grandes ; il fallait donc que l'information présentée sur les panneaux soit compréhensible en un seul coup d'œil.

- À l'époque, plusieurs conducteurs et conductrices ne savaient pas lire.

- Les gens commençaient à voyager d'un pays à l'autre et on voulait qu'un ou une touriste qui ne parlait pas la langue du pays soit en mesure de comprendre tous les panneaux.

On trouve aujourd'hui 300 panneaux de signalisation reconnus internationalement.

Les professions liées à la signalisation routière

Les panneaux de signalisation sont construits de façon à donner un maximum d'informations à l'aide de la forme la plus simple possible. Un code de couleurs et de formes a été développé pour répondre à ce besoin.

Pour qu'un nouveau panneau apparaisse sur les routes du Québec, plusieurs personnes doivent intervenir.

Au ministère des Transports du Québec, une équipe composée de techniciens ou de techniciennes en art graphique et en génie civil, de spécialistes de la signalisation et d'ingénieures civil ou d'ingénieurs civils crée un prototype.

Signification des couleurs et des formes sur les panneaux de signalisation

Cercle	➡ Ordre
Triangle	➡ Avertissement
Carré incliné	➡ Danger
Vert	➡ Obligation
Rouge	➡ Interdiction
Jaune	➡ Danger
Orange	➡ Travaux routiers

1. Diviser un problème complexe en sous-problèmes

Il y a bien longtemps que l'être humain a imaginé des moyens pour exploiter les vents. C'est vers le 7e siècle qu'apparaissent en Europe les premiers moulins à vent. On les utilisait surtout pour pomper l'eau ou moudre le grain. Aujourd'hui, en appliquant la même idée, on se sert d'éoliennes pour produire de l'électricité.

Au cours d'une journée, une éolienne a fonctionné pendant 5 h 12 min. Si l'hélice fait 9 tours en 40 s, combien de tours a-t-elle effectués durant cette journée ?

Compréhension

☑ J'ai distingué les données importantes des données inutiles. Les données importantes sont :
  • L'hélice fait 9 tours en 40 s.
  • L'éolienne a fonctionné pendant 5 h 12 min.
☑ J'ai dégagé la tâche à réaliser.
  • Calculer le nombre de tours que l'hélice a effectués durant cette journée.

Organisation

☑ Stratégie : Diviser un problème complexe en sous-problèmes.
  1. Exprimer en secondes le temps durant lequel l'hélice a fonctionné.
  2. Diviser le temps de fonctionnement en tranches de 40 s.
  3. Multiplier par 9 pour connaître le nombre de tours effectués par l'éolienne.

Solution

  • Le temps (5 h 12 min) en secondes :
    5 h : 5 × 60 = 300 min
    5 h 12 min : 300 + 12 = 312 min
    312 min : Estimation : 312 × 60 ≈ 300 × 60 = 18 000
            Calcul exact : 312 × 60 = 18 720

  • Nombre de tranches de 40 s :
    Estimation : 18 720 ÷ 40 ≈ 20 000 ÷ 40 = 500
    Calcul exact : 18 720 ÷ 40 = 468

  • Nombre de tours :
    Estimation : 468 × 9 ≈ 500 × 9 = 4500
    Calcul exact : 468 × 9 = 4212

  • Réponse : L'hélice a fait 4212 tours en 5 h 12 min.

Validation

☑ J'ai vérifié les calculs.
☑ Je fais le problème à rebours : 4212 ÷ 9 = 468
                                468 × 40 = 18 720
                                18 720 ÷ 60 = 312
                                312 min = 5 h 12 min

Communication

2. Procéder par essais et erreurs

Marie a le double de l'âge de sa cousine Sophia. Leur arrière-grand-mère Alice a 60 ans de moins que le produit de l'âge des cousines. La somme des âges des trois femmes est 129 ans. Quel est l'âge de chacune?

STRATÉGIES

Communication

Compréhension

☑ J'ai distingué les données importantes des données inutiles. Les données importantes sont :
- Marie a le double de l'âge de Sophia.
- Alice a 60 ans de moins que le produit des âges de Marie et de Sophia.
- La somme des âges de Marie, de Sophia et de leur arrière grand-mère est 129 ans.

☑ J'ai dégagé la tâche à réaliser.
- Déterminer l'âge de Marie, de Sophia et de leur arrière grand-mère.

Organisation

☑ Stratégie : Procéder par essais et erreurs.
- Construire un tableau pour structurer les essais.
- Déduire l'âge de Marie et d'Alice à partir de celui de Sophia.

Solution

Essais	Âge de Sophia	Âge de Marie	Âge d'Alice	Somme des trois âges	Analyse
1er	4	2 × 4 = 8	4 × 8 – 60 = -28 -28 ans : pas de sens	calcul inutile	Sophia a plus de 4 ans
2e	15	2 × 15 = 30	15 × 30 – 60 = 390 390 ans : pas de sens	calcul inutile	Sophia a moins de 15 ans
3e	8	2 × 8 = 16	8 × 16 – 60 = 68	8 + 16 + 68 = 92	Sophia a plus de 8 ans
4e	9	2 × 9 = 18	9 × 18 – 60 = 102	9 + 18 + 102 = 129	Bonne réponse

- Réponse : Sophia a 9 ans, Marie a 18 ans et Alice a 102 ans.

Validation

☑ J'ai vérifié les calculs.
☑ La réponse a du sens car l'arrière grand-mère est beaucoup plus âgée que les cousines.

Construction de triangles

On peut construire un triangle seulement si :

- La somme des mesures de deux côtés est supérieure à la mesure du troisième côté.

- La somme des mesures des angles intérieurs est 180°.

On peut construire un triangle unique si l'on connaît :

❶ les mesures des trois côtés (C-C-C);

❷ la mesure d'un angle et celle des côtés formant cet angle (C-A-C);

❸ les mesures de deux angles et celle du côté compris entre ces angles (A-C-A).

❶ Les mesures des trois côtés (C-C-C)

Exemple : Construction d'un triangle ABC dont les côtés mesurent 4 cm, 5 cm et 6 cm.

1) À l'aide de la règle, on trace l'un des côtés.

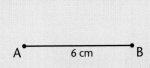

2) À l'aide du compas, on trace un cercle de centre A et dont le rayon mesure 4 cm.

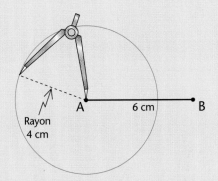

3) À l'aide du compas, on trace un cercle de centre B et dont le rayon mesure 5 cm.

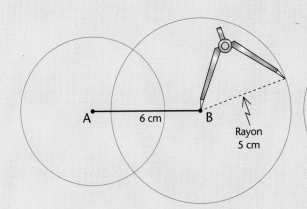

4) On relie les points A et B à l'un des points d'intersection des deux cercles.

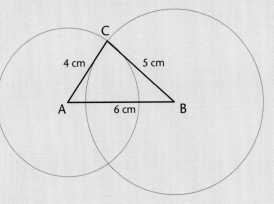

❷ La mesure d'un angle et celle des côtés formant cet angle (C-A-C)

Exemple : Construction d'un triangle ABC dans lequel m $\overline{AB}$ = 3 cm, m $\overline{BC}$ = 4 cm et
m ∠ B = 50°

1) À l'aide de la règle, on trace
le segment AB de 3 cm.

2) À l'aide du rapporteur, on trace
l'angle B de 50° dont l'un des côtés est
le segment AB.

A •━━━━━━━━• B
    3 cm

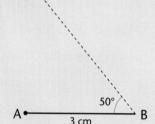

3) À l'aide de la règle, on trace
le segment BC de 4 cm.

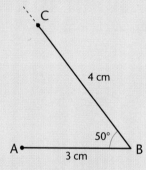

4) On complète le triangle en joignant
le sommet C au sommet A.

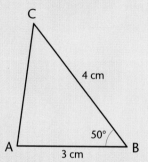

❸ Les mesures de deux angles et celle du côté compris entre ces angles (A-C-A)

Exemple : Construction d'un triangle ABC dans lequel m ∠ B = 40°, m $\overline{BC}$ = 2 cm et
m ∠ C = 60°.

1) À l'aide de la règle, on trace
le segment BC de 2 cm.

2) À l'aide du rapporteur, on trace
l'angle B de 40° dont l'un des côtés
est le segment BC.

B •━━━• C
   2 cm

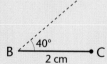

3) À l'aide du rapporteur, on trace
l'angle C dont l'un des côtés
est le segment BC.

4) On indique le sommet A à l'endroit ou
les demi-droites issues des sommets B
et C se croisent afin de compléter
le triangle.

Construction de polygones réguliers

Exemple : Construction d'un pentagone régulier de 3 cm de côté.

Première méthode : à partir d'un triangle isocèle

1) À l'aide de la règle, on trace un segment de 3 cm.

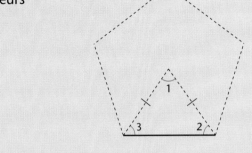

2) On détermine la mesure des angles intérieurs du triangle isocèle.

Angle 1 : 360° ÷ 5 = 72°

Angles 2 et 3 : (180° − 72°) ÷ 2 = 54°

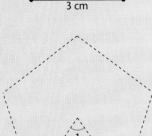

3) À l'aide du rapporteur, on trace un angle de 54° à chacune des extrémités du segment afin de former le triangle. Le point d'intersection A des deux demi-droites est le centre du polygone.

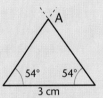

4) On effectue une rotation de ce triangle. Le centre de rotation est le point A et l'angle de rotation est 72°.

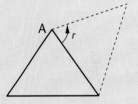

5) On effectue à nouveau une rotation du triangle obtenu. Le centre de rotation est le point A et l'angle de rotation est 72°. On répète jusqu'à ce que le polygone soit complété.

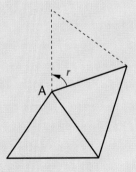

Deuxième méthode : à partir d'un côté

1) À l'aide de la règle, on trace un segment de 3 cm.

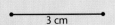

2) On détermine la mesure d'un des angles intérieurs du polygone. Pour un pentagone, la somme des mesures des angles intérieurs est 540°, donc un angle intérieur d'un pentagone régulier mesure 540° ÷ 5 = 108°.

3) On effectue une rotation de ce segment.
   Le centre de rotation est l'une des extrémités
   du segment et l'angle de rotation est 108°.

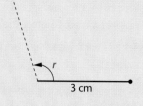

4) On effectue à nouveau une rotation de 108°
   du segment obtenu. On répète jusqu'à ce que
   le polygone soit complété.

Troisième méthode : à partir d'une «étoile»

1) On détermine la mesure de l'angle dont le sommet est au
   centre du polygone. Pour un pentagone : 360° ÷ 5 = 72°.

2) À l'aide du rapporteur, on trace un angle de 72°.

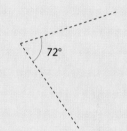

3) On trace un angle de 72° à partir du sommet
   et de l'un des côtés de l'angle initial. On répète
   jusqu'à ce que l'on revienne sur l'un des côtés
   de l'angle initial.

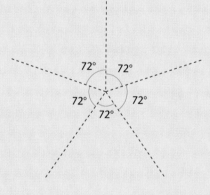

4) À l'aide de la règle, on trace un segment de
   3 cm qui relie deux côtés formant un angle
   de 72° de façon à former cinq triangles
   isocèles isométriques.

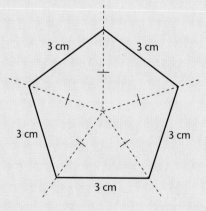

SAVOIRS

Repères

A

Abscisse

Nombre qui correspond à la première coordonnée d'un point dans un plan cartésien.
Ex. : L'abscisse du point (5, -2) est 5.

Addition, p. 35-89

Aire

Mesure d'une surface délimitée par une figure. L'aire se mesure en unités carrées.
Ex. : L'aire de ce rectangle est de 6 u².

Angle

Figure géométrique formée de deux demi-droites ayant la même origine. L'origine des demi-droites est le sommet de l'angle et les demi-droites sont les côtés de l'angle.

Angles adjacents

Paire d'angles ayant le même sommet, un côté commun et qui sont situés de part et d'autre du côté commun.
Ex. : Les angles 1 et 2 sont adjacents.

Sommet   Côté commun

Angle aigu

Angle dont la mesure est comprise entre 0° et 90°. Ex. :

Angles alternes-externes

Deux angles n'ayant pas le même sommet, situés de part et d'autre d'une sécante et à l'extérieur de deux autres droites.
Ex. : Les angles 1 et 2 ainsi que 3 et 4 sont des angles alternes-externes.

Lorsque la sécante coupe deux droites parallèles, les angles alternes-externes sont isométriques.

Angles alternes-internes

Deux angles n'ayant pas le même sommet, situés de part et d'autre d'une sécante et à l'intérieur de deux autres droites.
Ex. : Les angles 1 et 2 ainsi que 3 et 4 sont des angles alternes-internes.

Lorsque la sécante coupe deux droites parallèles, les angles alternes-internes sont isométriques.

Angles complémentaires

Paire d'angles dont la somme des mesures est 90°.

Angles correspondants

Deux angles n'ayant pas le même le sommet, situés du même côté d'une droite sécante et l'un à l'intérieur et l'autre à l'extérieur de deux autres droites.
Ex. : Les angles 1 et 8, 2 et 5, 3 et 6 ainsi que 4 et 7 sont des angles correspondants.

Lorsque la sécante coupe deux droites parallèles, les angles correspondants sont isométriques.

Angle droit

Angle dont la mesure est 90°. Ex. :

Angle extérieur en un sommet d'un polygone convexe, p. 186

Angle intérieur d'un polygone, p. 165-186

Angle nul

Angle dont la mesure est 0°. Ex. :

Angle obtus

Angle dont la mesure est comprise entre 90° et 180°. Ex. :

Angles opposés par le sommet

Paire d'angles ayant le même sommet et dont les côtés de l'un sont les prolongements des côtés de l'autre. Les angles opposés par le sommet sont isométriques.

Angle plat

Angle dont la mesure est 180°.

Ex. :

Angle plein

Angle dont la mesure est 360°.

Ex. :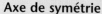

Angle rentrant

Angle dont la mesure est comprise entre 180° et 360°. Ex. :

Angles supplémentaires

Paire d'angles dont la somme des mesures est 180°.

Arête

Ligne d'intersection entre deux faces d'un solide. Ex . :

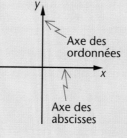

arête

Arrondir

Donner une approximation d'un nombre alors que sa valeur exacte est connue.

Ex. : 1) En arrondissant 457 à la dizaine près, on obtient 460.

2) 8,91 est l'arrondi au centième près de 8,912.

Associativité

Propriété de l'addition et de la multiplication qui permet de modifier l'ordre des opérations sans changer le résultat.

Ex. : 1) (2,4 + 8,2) + 5 = 2,4 + (8,2 + 5)

2) (-6 × 7) × -9 = -6 × (7 × -9)

Axe des abscisses (axe des x)

Droite graduée qui permet de déterminer l'abscisse d'un point dans un plan cartésien.

Axe des ordonnées (axe des y)

Droite graduée qui permet de déterminer l'ordonnée d'un point dans un plan cartésien.

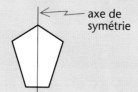

Axe des ordonnées

Axe des abscisses

Axe de symétrie

Axe de réflexion dans une figure symétrique.

Ex. :

axe de symétrie

B

Bissectrice

Droite ou demi-droite qui partage un angle en deux angles isométriques. La bissectrice est aussi un axe de symétrie de l'angle.

Ex. :

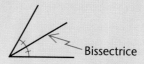

Bissectrice

C

Caractère

En statistique, ce sur quoi porte la recherche de données. Il existe deux types de caractères : qualitatifs et quantitatifs.

Caractère qualitatif

Caractère dont les données recueillies sont des mots ou des codes.

Ex. : Couleur des cheveux, mets préféré, numéro de membre au club vidéo.

Caractère quantitatif

Caractère dont les données recueillies sont des nombres.

Ex. : Âge, nombre d'élèves dans une école, taille.

Caractère de divisibilité

Un nombre est divisible par :

2	Si le chiffre des unités est un nombre pair.
3	Si la somme de ses chiffres est divisible par 3.
4	Si le nombre formé par les deux derniers chiffres est divisible par 4.
5	Si le chiffre des unités est 0 ou 5.
6	S'il est divisible à la fois par 2 et 3.
9	Si la somme de ses chiffres est divisible par 9.
10	Si le dernier chiffre est 0.
12	S'il est divisible à la fois par 3 et 4.
25	Si le nombre formé par les deux derniers chiffres est divisible par 25.

Carré, p. 177

Centre de gravité d'un triangle, p. 167

Chiffre

Caractère utilisé dans l'écriture des nombres. Les chiffres de notre système de numération sont 0, 1, 2, 3, 4, 5, 6, 7, 8 et 9.

Circonférence

Longueur ou périmètre d'un cercle.

Commutativité

Propriété de l'addition et de la multiplication qui permet de modifier l'ordre des nombres sans changer le résultat.

Ex. : 1) 9,8 + 4,3 = 4,3 + 9,8

2) -5 × 7 = 7 × -5

SAVOIRS

Segment
Portion de droite limitée par deux points.
Ex. : Segment AB.

A   B

Simplification de fractions, p. 43

Somme
Résultat d'une addition.

Somme des mesures des angles extérieurs d'un polygone convexe, p. 186

Somme des mesures des angles intérieurs d'un polygone, p. 166-176-186

Soustraction, p. 35-89

Suite, p. 127

Suite arithmétique, p. 128

Système international d'unités (SI), p. 105

T

Tableau
Mode de représentation permettant de présenter une série de données d'une façon claire et concise pour faciliter la consultation. Ex. :

Nom du fleuve	Longueur (km)
Mackenzie	4100
Saint-Laurent	3700
Yukon	3290

Tableau de distribution
Tableau dont l'une des colonnes représente les effectifs. Ex. :

Âge	Effectif
12	34
13	23
14	8

Table de valeurs, p. 128

Terme d'une suite, p. 127

Translation
Transformation géométrique qui permet d'associer, à toute figure initiale, une figure image selon une direction, un sens et une longueur donnés. Ex. :

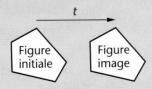
t
Figure initiale
Figure image

Trapèze, p. 177

Trapèze isocèle, p. 177

Triangle, p. 166-186

Triangle acutangle, p. 166

Triangle équiangle, p. 166

Triangle équilatéral, p. 166

Triangle isoangle, p. 166

Triangle isocèle, p. 166

Triangle obtusangle, p. 186

Triangle rectangle, p. 166

Triangle scalène, p. 186

U

Univers des résultats possibles, p. 25

Unité de longueur, p. 105

Unité de mesure
De façon générale, on utilise comme :
– unité de longueur : le mètre (m);
– unité de masse : le kilogramme (kg);
– unité de capacité : le litre (L);
– unité de température : le degré Celsius (°C)
– unité de temps : la seconde (s).

V

Valeur
En statistique, formes que peuvent prendre les données recueillies lorsque le caractère étudié est quantitatif.
Ex. : Si on s'intéresse au nombre de grands-parents naturels vivants des élèves de ta classe, les valeurs possibles sont : 0, 1, 2, 3 ou 4.

Valeur de position, p. 80

Variable, p. 136

Volume
Mesure de l'espace occupé par un solide. Le volume se mesure en unités cubes.
Ex. : Le volume de ce cube est de 64 u^3.

SAVOIRS

Crédits photographiques